강력한 세종대 인문계 논술

기출문제

저자 소개

저자 김근현은 현재 탁트인 교육, 일으킨 바람, 에듀코어 대표이다.
前 메가스터디 온라인에서 대입 논술과 면접, 자기소개서, 학생부종합 등 다양한 동영상
강의를 하였다.
현재는 학습 프로그램 개발 및 연구 활동을 통해 교육의 발전을 고민하고 있다.
홍익대학교에서 전자전기공학부를 졸업하고 동대학원에서 전자공학 석사(반도체 레이저)를
전공하였다. 또한 연세대학교 교육경영최고위자 과정을 마쳤으며 연세대학교 교육대학원에서
평생교육 경영을 공부하고 있다.

강력한 세종대 인문계 논술 기출문제

발   행 | 2023년 10월20일
개정판 | 2024년 07월04일
저   자 | 김근현
펴낸이 | 김근현
펴낸곳 | 일으킨 바람
출판사등록 | 2018.11.12.(제2018-000186호)
주   소 | 경기도 고양시 일산서구 하이파크 3로 61 409동 1503호
전   화 | 031-713-7925
이메일 | illeukinbaram@gmail.com

ISBN | 979-11-93208-87-8

www.iluekinbaram.com

강력한

세종대 인문계

논술 기출문제

김근현 지음

차례

머리말

책을 쓰기 위해 책상에 앉으면 아쉬움과 안타까움, 나의 게으름에 늘 한숨을 먼저 쉰다.
왜 지금 쓸까?
왜 지금에서야 이 내용을 쓸까?
왜 지금까지 뭐했니?
스스로 자책을 한다.

또 애절함도 함께 느낀다.
시험이 코앞에서야 급한 마음에 달려오는
수험생들에게 왜 미리 제대로 준비된 걸 챙겨주지 못했을까?
그렇게 하루, 한 달, 일 년 그렇게 몇 해가 지나 이제야 조금 마음의 짐을 내려놓는다.

입에 단내 가득하도록 학생들에게 강의를 했고,
코앞에 다가온 연속된 수험생의 긴장감을 함께하다보면
그렇게 바쁘게 초조하게 지냈던 것 같다.

그렇게 함께했던 시간을 알기에
부족하겠지만
부디 이 책으로 수험생들이 부족한 일부를 채울 수 있고,
한 걸음이라도 희망하는 꿈을 향해 다갈 수 있길 간절히 바래 본다.

김 근 현

I. 세종대학교 논술 전형 분석

1. 논술 전형 분석

1) 전형 요소별 반영 비율

전형요소	논술	학생부교과	총합
논술고사	70%	30%	100%

2) 학생부 교과 반영

30%

(ㄱ) 반영교과 및 반영비율

- 계열 구분 없이 국어, 수학, 영어, 사회 반영
- 학년별 가중치 없음, 교과별 가중치 없음

※ 한국사는 포함하지 않음

대 상	인정범위	반영 교과
졸업(예정)자	1학년 1학기 ~ 3학년 1학기	국어, 영어, 수학, 과학, 사회

(ㄴ) 공통과목 및 일반선택과목

구분	등급	1등급	2등급	3등급	4등급	5등급	6등급	7등급	8등급	9등급
변환점수		1000	990	980	950	900	800	700	500	0

(ㄷ) 진로선택과목

- 반영교과에 해당하는 전 과목의 성취도를 등급으로 변환하여 반영

성취도	A	B	C
석차등급	1	3	5
변환점수	1000	980	900

(ㄹ) 변환 점수 평균

$$변환\,점수\,평균 = \frac{\sum(반영\,교과목\,석차등급\,변환점수 \times 반영교과목\,이수단위)}{\sum(반영교과목\,이수단위)}$$

(ㅁ) 학생부 반영 점수

$$학생부\,반영\,점수 = 변환점수\,평균 \times \frac{학생부\,교과\,반영\,총점}{1000}$$

(ㅂ) 논술 전형 30% 적용시 학생부 교과 반영 점수

구분	등급	1등급	2등급	3등급	4등급	5등급	6등급	7등급	8등급	9등급
	30%	300	297	294	285	270	240	210	150	0

3) 수능 최저학력 기준

국어, 수학, 영어, 탐구(사회/과학탐구 중 1과목) 중 *2개 영역* 등급의 *합 5* 이내

4) 논술 전형 결과

(ㄱ) 2024학년도 논술 전형 결과

모집 단위	모집 인원	지원 인원	논술응시 & 수능 최저 충족 인원	최종 등록 인원	경쟁률	실질 경쟁률	마지막 합격자 예비 번호	충원율 (예비 합격)
국어국문학과	3	177	47	3	59.00	15.67	1	33.33
국제학부	15	1064	311	15	70.93	20.73	3	20.00
역사학과	2	116	30	2	58.00	15.00	-	-
교육학과	4	250	61	4	62.50	15.25	2	50.00
행정학과	4	256	87	3	64.00	21.75	-	-
미디어커뮤니케이션학과	4	361	98	4	90.25	24.50	1	25.00
법학과	4	273	70	4	68.25	17.50	1	25.00
경영학부	16	1313	365	16	82.06	22.81	2	12.50
경제학과	5	313	83	5	62.60	16.60	1	20.00
호텔관광외식경영학부	16	1011	306	16	63.19	19.13	7	43.75
인문계열 요약	73	5134	1458	72	70.88	19.97	-	-

모집 단위	지원 인원	응시 인원	결시 인원	응시율	수능최저충족율		
					논술전형 지원 인원 중 수능 최저 충족	논술고사 응시 인원 중 수능 최저 충족	지원 인원 중 논술고사 응시 & 수능 최저 충족
국어국문학과	177	94	83	53.11	32.20	50.00	26.55
국제학부	1064	574	490	53.95	38.53	54.18	29.23
역사학과	116	63	53	54.31	39.66	47.62	25.86
교육학과	250	119	131	47.60	34.40	51.26	24.40
행정학과	256	135	121	52.73	41.80	64.44	33.98
미디어커뮤니케이션학과	361	182	179	50.42	35.18	53.85	27.15
법학과	273	140	133	51.28	33.70	50.00	25.64
경영학부	1313	660	653	50.27	40.14	55.30	27.80
경제학과	313	149	164	47.60	36.42	55.70	26.52
호텔관광외식경영학부	1011	533	478	52.72	34.92	57.41	30.27
인문계열 요약	5,134	2,649	2,485	51.60	37.38	55.04	28.40

모집 단위	최종 등록자 [학생부 등급 평균]				최종 등록자 [논술고사 성적]		
	최고	평균	70% Cut	최저	최고	평균	최저
국어국문학과	2.95	3.29	3.41	3.50	560.00	538.33	515.00
국제학부	2.86	3.90	4.15	4.48	560.00	533.67	515.00
역사학과	3.06	3.55	3.06	4.05	590.00	572.50	555.00
교육학과	3.24	3.43	3.60	3.60	530.00	521.25	510.00
행정학과	3.60	4.06	4.03	4.54	565.00	550.00	530.00
미디어커뮤니케이션학과	3.09	3.48	3.48	4.03	545.00	528.75	510.00
법학과	3.01	3.48	3.48	4.22	530.00	517.50	505.00
경영학부	2.42	3.75	4.21	5.14	600.00	575.00	565.00
경제학과	3.54	4.22	4.58	4.58	545.00	532.00	510.00
호텔관광외식경영학부	1.71	3.59	4.46	5.50	520.00	494.38	470.00
인문계열 요약	1.71	3.72	-	5.50	600.00	534.10	470.00

(ㄴ) 2023학년도 논술 전형 결과

모집단위	모집 인원	지원 인원	경쟁률	마지막 합격자 예비번호	충원율 (예비합격)	최종등록자 [학생부등급평균]		최종등록자 [논술고사 성적]
						평균	70% Cut	평균
국어국문학과	3	213	71	1	33	3.24	3.55	558.33
국제학부	15	1265	84.33	1	7	3.69	4.08	530.67
역사학과	2	152	76	-	-	3.68	3.38	547.50
교육학과	4	303	75.75	2	50	3.53	3.64	561.25
행정학과	4	310	77.5	1	25	3.74	3.83	557.50
미디어 커뮤니케이션학과	4	393	98.25	1	25	4.03	4.09	573.75
경영학부	18	1522	84.56	2	11	3.88	4.25	579.72
경제학과	7	528	75.43	3	43	3.88	4.44	584.29
호텔관광외식경영학부	18	1357	75.39	5	28	3.80	4.27	524.72
법학부	4	294	73.5	1	25	3.07	3.63	578.75
인문계 요약	79	6,337	79.17	-	24.70	3.65	9.92	559.65

(ㄷ)   2022학년도 논술 전형 결과

모집단위	모집인원	지원인원	경쟁률	실질경쟁률	마지막합격자 예비번호	충원율(예비합격)	최종등록자 [학생부등급평균]		최종등록자 [논술고사 성적]
							평균	70% Cut	평균
국어국문학과	6	191	31.83	5.50	4	67	4.09	4.32	553.33
국제학부	23	907	39.43	8.65	6	26	4.11	4.48	552.05
역사학과	3	97	32.33	3.67	1	33	4.05	3.66	535.00
교육학과	5	163	32.60	5.40	4	80	4.29	4.43	566.50
행정학과	5	166	33.20	4.80	2	40	4.14	4.62	543.50
미디어 커뮤니케이션 학과	7	325	46.43	7.71	4	57	4.01	4.69	563.21
경영학부	20	811	40.55	6.80	5	25	3.91	4.32	604.13
경제학과	6	193	32.17	4.50	1	17	4.30	4.66	599.58
호텔관광외식 경영학부	20	632	31.60	6.25	5	25	4.06	4.98	576.75
법학부	12	370	30.83	6.58	7	58	4.06	4.34	612.92
인문계열 요약	107	3,855	36	6.68	-	-	4	5	577

(ㄹ)   2021학년도 논술 전형 결과

모집단위	모집인원	지원인원	경쟁률	실질경쟁률	마지막 합격자 예비번호	충원율 (예비합격)	최종등록자 [학생부등급평균]		최종등록자 [논술고사 성적]
							평균	70% Cut	평균
국어국문학과	6	191	31.83	5.50	4	67	4.09	4.32	553.33
국제학부	23	907	39.43	8.65	6	26	4.11	4.48	552.05
역사학과	3	97	32.33	3.67	1	33	4.05	3.66	535.00
교육학과	5	163	32.60	5.40	4	80	4.29	4.43	566.50
행정학과	5	166	33.20	4.80	2	40	4.14	4.62	543.50
미디어 커뮤니케이션 학과	7	325	46.43	7.71	4	57	4.01	4.69	563.21
경영학부	20	811	40.55	6.80	5	25	3.91	4.32	604.13
경제학과	6	193	32.17	4.50	1	17	4.30	4.66	599.58
호텔관광외식 경영학부	20	632	31.60	6.25	5	25	4.06	4.98	576.75
법학부	12	370	30.83	6.58	7	58	4.06	4.34	612.92
인문계열 요약	107	3,855	36	6.68	-	-	4	5	577

(ㅁ) 2020학년도 논술 전형 결과

모집단위	모집 인원	지원 인원	경쟁률	충원율 (예비합격)	최종등록자 [학생부등급평균]		최종등록자 [논술고사 성적]	
					평균	80% Cut	최고	평균
국어국문학과	6	318	53.00	16.7	2.95	3.50	650.00	625.00
국제학부	24	1533	63.88	45.8	4.10	4.90	660.00	608.44
역사학과	4	203	50.75	50.0	3.89	3.92	630.00	605.00
교육학과	6	325	54.17	0.0	3.56	4.37	622.50	602.08
행정학과	6	329	54.83	16.7	3.45	3.79	655.00	625.50
미디어 커뮤니케이션 학과	7	486	69.43	42.9	4.21	4.71	652.00	625.75
경영학부	22	1373	62.41	31.8	3.65	4.83	645.00	623.75
경제학과	8	430	53.75	25.0	3.71	4.24	620.00	598.44
호텔관광외식 경영학부	22	1271	57.77	36.4	3.69	4.38	667.50	627.61
법학부	10	559	5.90	40.0	3.95	4.51	667.50	609.00
인문계열 요약	115	6827	59.37	-	3.79	4.90	667.50	614.87

2. 논술 분석

구분	인문계열	
출제 근거	고교 교육과정 내 출제	
출제 범위	국어 교과	국어, 화법과 작문, 독서, 언어와 매체, 문학
	사회(역사/도덕 포함)	통합사회, 한국사, 한 국지리, 세계지리, 동아시아사, 세계사, 경제, 정치와법, 사회·문화, 생활과 윤리, 윤리와 사상
논술유형	인문형	
문항 수	2문항	
답안지 형식	문항별 글자수 제한, 원고지형 답안지	
고사 시간	120분	

1) 출제 구분 : 계열 구분

2) 출제 유형 :

- 지문 제시형, 고교 교과서 지문을 활용하여 출제
- 지문을 논리적으로 이해, 분석 및 비판적으로 해석하는 능력 등을 종합적으로 평가

문항수	문항별 특징 (논술 총점 : 700점)	
2문항	1번	400~500자 내외 (250점)
	2번	800~900자 내외 (450점)

3) 출제 및 평가내용 :

- 고교 교과서나 해석이 가능한 지문 출제
- 지문을 논리적으로 이해, 분석 및 비판적으로 해석하는 능력 등을 종합적으로 평가

3. 출제 문항 수

구분	인문계
문항수	2문항(1번 소문항, 2번 대문항)

4. 시험 시간
· **120분**

5. 논술 유의사항

1) 답안 작성 시 유의 사항

1. 수험표 및 신분증, 필기구(컴퓨터용 사인펜, 답안작성용 검정색(흑색) 필기도구(볼펜, 샤프, 연필 등), 문제풀이용 필기도구)를 반드시 지참하시기 바랍니다.
   ※ 지정된 준비물 외의 전자시계, 휴대폰, 카메라 등 전자기기 및 통신기기는 일절 고사실 내에서 사용할 수 없으며 논술고사 중 전자기기 및 통신기기의 전원이 켜져 있거나 진동이 울릴 경우 부정행위자로 간주되어 결격 처리될 수 있습니다.

2. 논술고사 고사장 입실 가능 시간을 초과하여 지각하거나 논술고사에 결시할 경우 불합격 처리될 수 있습니다.

3. 수험생이 지원한 모집 단위가 아닌 고사 시간에 응시하는 경우 불합격 처리되므로 반드시 지원한 모집 단위의 논술고사일정을 확인하기 바랍니다.

4. 논술고사는 자유좌석제로 배정된 고사장의 원하는 자리에 착석하시어 논술고사를 진행하시면 됩니다.

5. 논술고사의 총 고사 시간은 2시간, 총 120분이며 고사 종료 10분 전에는 답안지 교환이 불가능합니다.

6. 인문계열은 습작지 1매가 배부되며, 자연계열은 습작지를 별도로 제공하지 않으므로 문제지의 여백을 활용하기 바랍니다.

7. 문제지 및 답안지 배부 후에는 고사종료 시까지 퇴실할 수 없으며, 퇴실 시 중도 포기로 간주하여 불합격 처리됩니다.

8. 답안 작성 및 수정 시에는 개인이 지참한 검정색(흑색) 필기도구(볼펜, 샤프, 연필 등)만 사용이 가능(다른 색의 필기도구는 사용 불가)하며, 답안의 내용을 수정할 때는 흰색 수정테이프(수정액 또는 수정스티커 사용 불가)를 사용하여 완전히 지운 후에 수정하거나 두 줄을 긋고 수정(인문계열은 두 줄 위에 작성)합니다.

※ 검은색 이외의 다른색 필기도구를 사용할 경우 채점 시 불이익을 받을 수 있으며, 흰색 수정테이프가 떨어지는 등 불완전한 수정 처리로 인해 발생하는 모든 책임은 수험생에게 있으니 주의 바랍니다.

9. 스캐너로 답안을 스캔 후에 채점을 진행하므로 답안의 작성 영역을 벗어나지 않도록 각별히 유의하여야 하고 답안 작성 영역 이외의 영역에 답안을 작성할 경우 작성한 내용이 채점에 반영이 되지 않을 수 있습니다. 답안지를 구기거나 접는 행위·이물질을 묻히는 행위 등으로 답안지를 더럽힐 경우 답안지 스캔이 원활하게 진행되지 않아서 채점 시 불이익을 받을 수 있으며 감점 또는 결격 처리될 수 있습니다.

10. 답안지에 문제와 관계없는 불필요한 내용이나 자신의 신분을 드러내는 인적사항 및 특별한 표식을 남기는 경우에는 감점 또는 결격 처리될 수 있습니다

2) 2024학년도 모의논술 채점 기준

문항 구분	평가 항목	배점		
		항목별	문항 소계	총점
1번	이해력 및 분석력 1	80	250	700
	이해력 및 분석력 2	80		
	표현력	50		
	정서법	40		
	분량	0~-80		
2번	이해력 및 분석력 1	120	450	
	이해력 및 분석력 2	100		
	비판적 사고력	100		
	표현력	50		
	구성	40		
	정서법	40		
	분량	0~-60		

II. 기출문제 분석

1. 출제 경향

학년도	교과목	질문 및 주제
2024학년도 수시 논술	국어, 문학	데페이즈망, 인간의 능력, 뿌리의 의미
2023학년도 수시 논술	국어, 문학	'레 미제라블'의 의미, 존재 양식, 소유 양식
2022년도 수시 논술	국어, 독서	예술관, 감정, 의지, 호기심, 질문, 유연성, 창의성, 인간, 인공지능
	독서, 경제, 세계사	패러다임 전환, 상업, 시장, 유통, 소비, 경제
2021학년도 수시 논술	국어, 도덕, 사회	외부 효과, 국가 개입의 역할, 자유의 필요성과 억제의 근거, 자율성과 통제
	국어, 도덕, 사회	문자 도입의 장단점, 언어의 기능성과 효용성, 노동 총량의 오류, 기술적 실업
	국어, 도덕, 사회	실존과 주체성, 감각과 인식, 무주의 맹시, 시각의 오류
2020학년도 수시 논술	국어, 사회·문화, 생활과 윤리	보도, 언론매체, 사실과 진실, 주관과 객관
	국어, 문학, 생활과 윤리, 경제	일, 작업과 고역, 자의와 타의, 작품 창작과 상품 생산
2020학년도 모의 논술	국어, 독서	주장의 반박과 오류, 추론 및 비판, 논리적 모순, 다양성, 공존

2. 출제 의도

학년도	출제의도
2024학년도 수시 논술	지문으로는 상식을 파괴하여 창의력과 상상력을 높이는 방법을 설명한 이주헌의 글 <논리 너머의 낯선 세계가 깨어난다>, 문학 창작을 예시로 인간의 다양한 능력을 체계적으로 설명한 도정일의 글 <고독한 성찰과 불안한 의심의 극장>, 인간의 뿌리에 대한 애착을 담은 김숨의 소설 <뿌리 이야기> 등을 활용하였다. 이 지문들은 직접 배우지 않았다 하더라도 고교 교육과정을 통해 함양된 독해 능력이 있다면 수월하게 이해할 수 있는 내용이다. 이 시험을 통해 이해력, 분석력, 추론 능력 등을 토대로 한 종합적 사고 능력을 평가하는 데 초점을 두어 출제하였다. <문항 1>은 제시문 (가)와 제시문 (나)의 내용에 대하여 구체적인 작품을 예시로 활용하여 요약하는 문제이다. 제시문 (가)에서는 그림 「골콘다」에 창의적으로 사용된 비현실적 요소를 찾아내고, 이를 제시문 전체 내용과 연결하여 핵심 내용을 요약해야 한다. 제시문 (나)에서는 시 <순간>의 내용을 인간의 독특한 능력인 기억, 사유, 상상, 표현의 관점에서 분석하고, 이러한 창작은 인간이 유한성을 극복하려는 노력이라는 점을 파악하여 요약하여야 한다. 이를 위해서는 이해력, 분석력, 문장 구성력 및 표현력 등이 요구된다.
	<문항 2>는 제시문 (가)와 제시문 (나)를 활용하여 제시문 (다) <뿌리 이야기> 속의 등장인물인 '그'와 이 소설 저자의 창작 활동을 분석하는 문제이다. 이 문항에 답하기 위해서는 먼저 제시문 (가)에서 상식을 파괴하여 낯선 장면을 연출하는 데페이즈망에 대한 이해와 그 다양한 기법에 대해 분명하게 파악할 수 있는 이해력과 분석력이 필요하다. 제시문(나)에서는 인간의 기억, 사유, 상상, 표현 등 네 가지 지적 능력과 그 한계 및 그것을 극복하기 위한 노력에 대해 정확하게 파악할 수 있는 이해력과 분석력이 필요하다. 나아가 제시문 (가)와 제시문 (나)에 대한 이러한 이해를 제시문 (다)의 등장인물인 '그'의 뿌리 조형물 창작 활동과 저자의 소설 <뿌리 이야기> 창작 활동에 각각 연결하여 구체적으로 분석하고 재구성해야 한다. 이를 위해서는 이해력과 분석력 및 논리적으로 생각을 확장할 수 있는 추론 능력 등이 필요하다. 이에 더하여 자신의 생각을 효과적으로 전달할 수 있는 문장 구성력과 표현력 등이 요구된다.

학년도	출제의도
2023학년도 수시 논술	제시문 (가)에서 주장하는 '레 미제라블'의 의미 변화를 비교하여 설명하는 문제이다. 이 문항에 답하기 위해서는 주어진 제시문의 내용을 정확하게 파악하여 '레 미제라블'의 의미가 제시문의 내용 흐름 속에서 어떻게 변화하였는지를 읽어내고 핵심적인 내용을 분명하게 서술할 수 있어야 한다. '레 미제라블'의 원래 의미와 새롭게 부여된 의미에 해당하는 각각의 예시들을 제시문에서 찾아 연결할 수 있어야 한다는 점에서 이해력과 분석력에 더하여 문장 구성력 역시 요구된다.
	에리히 프롬의 『소유냐 존재냐』의 일부분인 제시문 (다)를 활용하여 제시문 (가)와 (나)에 등 장하는 인물들의 행위 양식을 설명한 후, 이를 토대로 하여 <완장> 속 임종술의 행위를 비판하는 문제이다. 이 문항에 답하기 위해서는 제시문 (다)로부터 삶의 두 가지 양식인 소유 양식과 존재 양식의 의미와 특징을 분명하게 파악할 수 있는 이해력, 이를 서로 다른 유형의 제시문 속 인물들과 관련지어 논거를 찾아 재구성할 수 있는 분석력, 인물의 잘못된 행위를 찾아내어 제시문 (다)와 연결하여 평가할 수 있는 비판적 사고력, 자신의 생각을 효과적으로 전달할 수 있는 문장 구성력과 표현력 등이 필요하다.
2022학년도 수시 논술 A	빈센트 반 고흐가 동생 테오에게 자신의 그림 <감자 먹는 사람들>에 대해 설명한 편지글의 핵심 내용을 정확히 파악하고, 이 글에 나타난 빈센트 반 고흐의 예술관을 요약하는 문제이다. 이 문항에 답하기 위해서는 제시문에 나타난 정보에서 빈센트 반 고흐의 예술관을 파악할 수 있는 분석 및 비판적 사고력과 이를 간결하고 일목요연하게 서술할 수 있는 표현력이 필요하다.
	인공지능 시대 인류의 미래를 다룬 제시문 (다)의 내용을 정확하게 분석하고, 제시문 (가)와 (나)에서 인공지능과는 다른 인간의 특성을 파악한 후 이를 제시문 (다)와 연결할 것을 요구하는 문제이다. 즉, 제시문 (다)에서 소개하는 "인공지능은 결국 의식을 갖게 되어 인간의 자리를 대체할 것"이라는 세계적 과학자들의 우려 섞인 예측과 그 이유를 정확히 분석하고, 이를 해결하기 위해서 어떠한 방향으로 나아가야 하는지를 유추해내야 한다. 이 문항에 답하기 위해서는 제시문 (다)에 나타난 상반된 주장과 그에 대한 반박 근거를 파악할 수 있는 이해력이 필요하다. 다음으로는 서로 다른 영역의 제시문에서 문제와 관련된 논거를 찾아낼 수 있는 분석 비판적 사고력이 요구된다. 또한, 자신의 생각을 논리적으로 전달할 수 있는 표현력과 문장 구성력이 있어야 한다.

학년도	출제의도
2022학년도 수시 논술 B	「과학의 패러다임」이라는 정보를 전달하는 글에서 "과학은 이렇게 '전쟁과 평화를 반복하며 발전한다.'라는 말의 의미를 설명하기 위해 글의 핵심 내용을 정확히 파악하고 효과적으로 전달하기를 요구한다. 이 문항에 답하기 위해서는 제시문의 내용을 제대로 파악할 수 있는 이해력과 이를 간결하고 일목요연하게 서술할 수 있는 표현력이 필요하다.
	상업을 경시하는 문화에서 벗어나 상업을 중시하여 경제를 윤택하게 해야한다는 제시문 (라)의 주장을 제시문 (가)에 등장하는 패러다임 전환이라는 관점에서 재해석하고, 이를 소비의 중요성 및 소비와 생산의 선순환을 다룬 제시문 (나)와 11세기 서유럽의 시장과 수공업의 발달에 따른 도시의 성장을 다룬 (다)를 활용하여 옹호할 것을 요구한다. 이 문항에 답하기 위해서는 글의 내용을 정확하게 파악할 수 있는 이해력과 서로 다른 유형의 제시문들을 주어진 문제와 관련지어 재구성하고 그 안에서 논거를 찾아낼 수 있는 분석 및 비판적 사고력, 그리고 자신의 생각을 효과적으로 전달할 수 있는 문장 구성력과 표현력 등이 필요하다.
2021학년도 수시 논술 A	외부 불경제를 시정하기 위한 선한 의도의 개입의 의미를 정확히 기술하고, 제시문 (나)에서 이와 관련된 내용을 찾아 작성할 것을 요구한다. 이 문항에 답하기 위해서는 제시문의 내용을 정확히 파악하는 이해력과 그것을 융통성 있게 적용하는 창의력이 필요하다. 특히 (나)의 논지가 변하고 있는 점을 제대로 파악해야 한다.
	제시문 (다)의 음악 선생님의 행동을 비판해야 할 것을 요구한다. 그 근거로 (가)와 (나)를 적절히 활용해야 한다. 이는 <문항 1>을 작성하면서 채택한 (가)와 (나)의 논지를 거꾸로 적용해야 함을 의미한다. 즉 권위적인 개입의 필요성과 유효성을 다시 생각해야 하고, 자유로운 의견을 억압하는 두 가지 위험성을 찾아내어 그것을 체계적으로 (다)에 적용해야 한다.
2021학년도 수시 논술 B	제시문 (가)에서 타모스왕의 '문자'에 대한 견해와 (나)에서 백주사의 '영어'에 대한 인식의 의미를 각각 파악하고, 이 둘 간의 공통점과 차이점을 비교하는 문제이다. 이 문항에 답하기 위해서는 주어진 (가)의 '문자'와 (나)의 '영어'의 개념을 정확하게 파악하는 이해 능력이 필요하며, (가)에서 타모스왕의 견해와 (나)에서 백주사의 인식 간의 공통점과 차이점을 파악할 수 있는 분석적 사고 능력이 필요하다.

학년도	출제의도
	제시문 (가)의 타모스왕의 새로운 발명품인 문자의 도입에 대한 주장을 분석하여 내용을 요약하고, (나)와 (다)를 활용하여 타모스왕의 주장을 비판하는 문제이다. 이를 위해서 먼저 (가)의 타모스왕의 문자의 도입이 부정적인 결과를 야기할 것이라는 주장과 근거를 정확하게 파악하고, 그 내용을 요약할 수 있는 분석 능력과 논증적 사고 능력이 필요하다. 그리고 (나)와 (다)에서 논거를 찾아 (가)의 타모스왕의 주장을 비판해야 한다. 즉 (나)에서 외양적 지혜의 현실적 가치에 대한 논거와 (다)에서 노동 총량의 오류를 통해 논거를 찾아내야 한다. 이 문항에 대해 기술하기 위해서는 전혀 다른 맥락에서 쓰인 글에서도 비판 논거를 발견할 수 있는 창의적 사고, 비판적 사고, 논증적 사고 능력이 필요하다. 또한 자신의 견해를 효과적으로 전달할 수 있는 문장 구성력 및 표현력이 필요하다.
2021학년도 수시 논술 C	제시문 (나)에서 말하는 "분명하게 본다는 것이 도리어 탈이 되는 것입니다"라는 말의 의미를 제시문 (다)에서 근거를 찾아 설명하는 문제이다. 이 문항에 답하기 위해서는 주어진 문장을 제시문 (나)의 맥락에서 정확하게 파악하는 이해 능력이 필요하다. 또한 이러한 현상의 근거를 제시문 (다)와 연관지어 파악할 수 있는 분석적 사고 능력이 필요하다.
	제시문 (가)의 키르케고르의 관점에서, 제시문 (나)에 등장하는 울고 있는 자가 처한 상황과 서화담의 조언을 설명하는 문제이다. 이를 위해서는 우선 (가)의 키르케고르의 사상을 정확하게 파악하고, 그 내용을 논증적으로 요약할 것을 요구한다. 또한 (나)의 울고 있는 자가 처한 상황과 서화담의 조언을 키르케고르가 주장하는 '절망한 상태'와 '인간 주체성과 실존의 중요성'을 바탕으로 설명할 것을 요구한다. 이 문항에 답하기 위해서는 글의 내용을 정확하게 파악할 수 있는 이해력과 서로 다른 유형의 제시문들을 주어진 문제와 관련지어 재구성하고 그 안에서 설명의 근거를 찾아낼 수 있는 창의적 사고력, 그리고 자신의 생각을 효과적으로 전달할 수 있는 문장 구성력 및 표현력 등이 필요하다.
2020학년도 수시 논술 A형	「신문과 진실」이라는 논설문의 핵심 내용을 정확히 정리하고 효과적으로 전달하기를 요구한다. 이 문항에 답하기 위해서는 제시문의 내용을 제대로 파악할 수 있는 이해력과 이를 간결하고 일목요연하게 서술할 수 있는 표현력이 필요하다.

학년도	출제의도
	언론의 보도에서 객관적 사실과 주관적 해석 사이의 관계를 파악하고 주관적 관점을 강조한 보도가 지닌 의미와 한계를 지적하도록 유도하는 문제이다. <문항 2>는 제시문 (가)에 등장하는 "훌륭하고 정확한 보도는 본래 가장 주관적인 것이다."라는 올솝 형제의 주장을 펜타곤 페이퍼 보도를 다룬 제시문 (나)와 토론에 있어 상대방의 의견을 존중해야 하는 이유를 다룬 제시문 (다)를 활용하여 비판할 것을 요구한다. 이 문항에 답하기 위해서는 글의 내용을 정확하게 파악할 수 있는 이해력과 서로 다른 유형의 제시문들을 주어진 문제와 관련지어 재구성하고 그 안에서 논거를 찾아낼 수 있는 분석 및 비판적 사고력, 그리고 자신의 생각을 효과적으로 전달할 수 있는 구성력 및 표현력 등이 필요하다.
2020학년도 수시 논술 B형	문학평론가 박이문이 쓴 「일」의 핵심 내용을 정확히 정리하고 효과적으로 전달 하기를 요구한다. 이 문항에 답하기 위해서는 제시문의 내용을 제대로 파악할 수 있는 이해력과 이를 간결하고 일목요연하게 서술할 수 있는 표현력이 필요하다.
	'일'이 지닌 다양한 성격과 조건을 분석하고 이를 통해 노동이 지닌 본질적 가치란 무엇인지 성찰해보자는 의미를 담고 있다. <문항 2>는 제시문 (가)에서 제시한 '작업'과 '고역'의 구분이 지닌 문제점을 제시문 (나)와 (다)에서 묘사된 노동 행위와 조건을 근거로 하여 비판할 것을 요구한다. 이 문항에 답하기 위해서는 글의 내용을 정확하게 파악할 수 있는 이해력과 서로 다른 유형의 제시문들을 주어진 문제와 관련지어 재구성하고 그 안에서 논거를 찾아낼 수 있는 분석 및 비판적 사고력, 그리고 자신의 생각을 효과적으로 전달할 수 있는 구성력 및 표현력 등이 필요하다.
2020학년도 모의 논술	중국 진시황 시대 분서갱유 사건을 초래한 이사(李斯)의 글을 활용해 독선적 사고의 문제점을 논리적으로 반박하기를 요구한다. 이 문항에 답하기 위해서는 제시문의 논리 전개 방식을 정확히 파악할 수 있는 이해력과 제시문의 주장을 합리적으로 논파할 수 있는 비판적 사고력이 필요하다.
	공동체 운영에서 다양성과 공존이라는 가치의 중요성을 이해하고 이를 옹호하기 위해 체계적인 논증을 필요로 하는 문제이다. <문항 2>는 제시문 가)의 이사의 주장과 나)의 대학생의 주장이 지닌 공통점을 파악하고, 이를 제시문 다)에서 설명하고 있는 다윈의 생태계에 대한 해석을 근거로 비판할 것을 요구한다. 이 문항에 답하기 위해서는

학년도	출제의도
	글의 내용을 정확하게 파악할 수 있는 이해력과 서로 다른 유형의 제시문들을 주어진 문제와 관련지어 재구성하고 그 안에서 비판의 논거를 찾아낼 수 있는 종합적 사고력, 그리고 자신의 생각을 효과적으로 전달할 수 있는 문장 구성력 및 표현력 등이 필요하다.

III. 논술이란?

1. 논술이란?

1) 논술이란?

어떤 문제에 대해 자기 나름의 주장이나 견해를 내세운 다음, 여러 가지 근거를 제시하여 그 주장이나 견해가 옳음을 증명하는 글쓰기 활동을 말한다. 따라서 논술의 가장 기본적인 요소는 주장과 근거이다. 다시 말해 어떤 주제에 관해서 자신의 견해를 밝히고 자기 의견을 내세우는 글이 바로 논술이다. 때문에 논술은 특별히 논리적이어야 한다는 요구를 받게 된다. 왜냐하면 여러 가지 의견이 있을 수 있는 문제에 대해 자신의 의견을 세워 다른 사람을 설득하려면, 그 주장이 충분한 근거 위에서 논리적으로 개진될 때만 가능하기 때문이다.

2) 대한민국 논술고사는?

한국에서의 대학 입시 논술고사는 실제 교과 과정과 교과서가 기본이 되어 응용된 사고와 풀이 능력과 지식을 바탕으로 한다. 논술고사는 일반적을 비판적으로 글을 읽는 능력과 창의적으로 문제를 설정하고 해결하는 능력 그리고 논리적으로 서술하는 능력을 종합적으로 평가하는 시험이다. 비판적으로 글을 읽는다는 것은 능동적으로 자신의 관점에서 글을 읽는 것을 말하며, 창의적으로 문제를 설정하고 해결하는 능력이란 심층적이고 다각적으로 논제에 접근함으로써 독창적인 사고와 풀이를 이끌어낼 수 있는 능력을 말한다. 그리고 논리적 서술 능력은 글 구성 능력, 근거 설정 능력, 표현 능력 등을 포괄한다.

3) 인문계 논술? 그리고 그 변화

모든 글은 일반적으로 3가지 종류로 나뉘어진다. 시, 소설 등 문학 작품과 같은 글쓰기인 창작적 글쓰기(creative writing)와 설명문이나 해설문의 글쓰기는 해명적 글쓰기(expository writing), 그리고 논설문의 글쓰기인 비판적 글쓰기(critical writing)가 있다. 이 글쓰기 중 대한민국의 대학입시에서 시행되고 있는 인문계 논술은 창작적 글쓰기는 포함되지 않는다. 새로운 문학 작품을 쓰는게 아니라 제시문을 읽고 내용을 구체화시켜 잘 설명하는 설명문의 형태가 있고, 주어진 문제에 대해 생각하고 깊이있는 주장을 피력하는 비판적 글쓰기도 있다.

2. 논술의 기본 용어

1) 논제 : 논술의 문제를 의미한다.
반드시 해결하고 접근하여야 할 논술 시험의 대상이다.
　(ㄱ)　중심 논제 : 채점할 때 가장 배점이 높으며, 핵심적으로 해결해야 할 논술의 문제
　(ㄴ)　세부 논제 : 큰 논제 속에 포함된 작은 문제, 각 단계별 채점의 기준이 되며 세부 채점 항목으로 필수 해결 항목이다.
2) 논거 : 논술에서 설명하고 주장하는 논리적인 근거 혹은 이유

3) 주장 : 수험생이 생각하고 채점자에게 알리고 싶은 생각
4) 제시문 : 보기 지문을 말한다.
 (ㄱ) 출제자가 논제 해결을 위해 보여주는 다양한 글
 (ㄴ) 각종 그래프, 도표, 그림 등
     자료가 정해져 있지는 않다. 하지만 고등학교 교과서를 가장 많이 인용하
     고, 고등학교 교과 과정으로 분석하고 판단할 수 있는 내용을 제시한다.
5) 개요 : 논제에 맞게 더 구체적으로는 세부 논제에 맞게 글의 진행 방향을 간략하
     게 정리하는 과정이다.

3. 논술의 명령어

논술고사 후 대학의 발표 자료를 보면 논술은 출제자의 의도에 부합하게 글을 써야 한다
고 강조한다. 그런데 출제자의 의도를 파악하는 것은 자칫 상당히 모호하고 주관적인 것
으로 판단하기 쉽다.
 하지만 인문계 논술에서는 명령어가 한정되어 있다. 그 명령어들을 잘 익히고 의미를 파
악한다면 훨씬 논술의 이해가 높아질 것이다. 또한 대학의 채점 기준에는 명령어의 요구
조건을 충족하는지를 평가한다. 그러므로 인문계 논술의 명령어는 수험생에게는 아주 기
초적이지만 필수적이며 절대 잊지 말아야 할 중요한 핵심이다.

1) ~ 에 대해 논술하시오.

 ; 주장을 밝히고 근거를 제시한다.

2) ~ 에 대해 설명하시오.

 : 사실, 주장 등을 쉽게 풀어서 밝힌다.

● ~ 제시문 간의 관련성을 설명하시오.
● ~ 제시문의 논리적 타당성과 문제점을 설명하시오.
● ~ 제시문을 참고하여 주어진 자료의 특징을 설명하시오.
● ~ 제시문의 관점에서 왜 그런 현상이 생기는지 그 이유를 설명하시오.

3) ~ 의 비교하시오. 혹은 대조하시오.

 : 공통점과 차이점을 중심으로 설명한다.

● ~ 공통점과 차이점을 설명하시오.

4) ~ 을 분석하시오.

 : 주제를 구성요소로 나누고 각 부분의 의미와 상호관계를 밝힌다.

5) ~ 제시문과 주어진 자료를 참고하여 현상을 예측해 보시오.

 : 주어진 자료를 해석하고 자료로부터 얻을 수 있는 시간에 따른 변화나 자료의 발
생 이유를 살핀다.

6) ~ 제시문의 문제점을 지적하고 그 문제점을 해결할 방법을 제시하시
     오.

 : 보통은 수학이나 과학의 역사에서 발생했던 여러 오류나 실험과정에서 나타난 문

제점을 가지고 있다. 또한 이론이나 실험, 학생의 실험보고서 등과 같이 확실한 오류가 있는 제시문을 주기도 한다. 분명히 문제점을 파악하여 답안에 서술하고 문제점이나 해결할 수 있는 방법 등을 명확히 하여야 한다.

> ● ~ 제시문의 관점에서 왜 그런 현상이 생기는지 그 원리를 설명하고 그런 현상을 예방할 수 있는 방안을 제시하시오.
> ● ~ 문제점을 지적하고 합리적 대안을 제안해 보시오.
> ● ~ 주어진 관점을 검증할 수 있는 방법을 논하시오.
> ● ~ 주어진 문제점을 해결할 수 있는 실험을 설계해 보시오.

7) 제시문의 관점에서 주장을 비판하시오.

: 어떤 주장의 타당성이나 가치 등을 평가한다.

4. 인문계 논술 글쓰기 유의사항

① 논제의 해결이 핵심이다. 출제자가 원하는 답을 써야 한다.

② 논제에 부합하는 글을 일관성 있게 써야 한다.

③ 한편의 글을 완성하여야 한다. 나열하거나 사례를 보여주는 것은 의미가 없다.

④ 제시문을 활용, 인용하는 것과 제시문을 그대로 옮겨 쓰는 것은 다르다. 적절하게 제시문의 내용을 사용하여 논제를 해결하여야 한다. 절대 제시문의 문장을 그대로 쓰면 안 된다. 금기사항이고 감점요인이다.

⑤ 부적절한 문장 즉, 비문을 만들지 말아야 한다. 주어와 서술어가 적절하게 있어 문장의 의미를 명확히 전달하여야 한다. 주어를 생략하거나 지시어를 과도하게 사용하면 문장의 의미가 모호해 진다.

⑥ 문장은 짧고 간결하게 써야 한다. 자신의 의견을 명확히 간결하고 효과적으로 밝혀야 한다.

5. 논술 확인 사항

1. 답안지는 지급된 흑색 볼펜으로 원고지 사용법에 따라 작성하여야 합니다.
(수정액 및 수정테이프 사용 금지)

2. 수험번호와 생년월일을 숫자로 쓰고 컴퓨터용 사인펜으로 ● 표기하여야 합니다.

3. 답안의 작성 영역을 벗어나지 않도록 각별히 유의 바라며, 인적사항 및 답안과
. 관계없는 표기를 하는 경우 결격 처리 될 수 있습니다.

4. 제시된 작성 분량 미 준수 시 감점 처리됨을 유의 바랍니다.

IV. 인문계 논술 실전

1. 각 대학별 논술 유의사항을 파악하라!

많은 대학에서 글자수 제한을 확인하여야 한다. 그래서 원고지 형이 많지만, 문항별 칸을 만들거나 밑줄 답안 형식도 있다. 논술 시험 시간은 각 대학별로 다양하다. 60분 즉, 한 시간을 시작으로 많게는 2시간까지 (120분)까지 다양하게 있다. 대학별로 준비해야 하는 중요한 이유이다. 답안을 작성하는 필기구도 다양하다. 연필(샤프펜)의 사용이 꾸준히 증가하지만 아직까지 검정색 볼펜이나 청색 볼펜으로 사용하는 학교도 많다. 주의할 것은 수정법이다. 수정은 학교에 따라 수정액, 수정테이프의 사용을 제한하는 경우도 있고 틀리면 두줄을 긋고 써야 하는 곳도 있다. 그러므로 각 대학별 특징을 파악하고, 미리 답안 작성 연습은 물론이고 작성할 때도 대학별로 금지하는 내용을 숙지하고 시험장에 가야 한다.

각 대학별 유의사항 사례

사례 1)

가. 답안은 한글로 작성하되, 글자수 제한은 없다.

나. 제목은 쓰지 말고 특별한 표시를 하지 말아야 한다.

다. 제시문 속의 문장을 그대로 쓰지 말아야 한다.

라. 반드시 본 대학교에서 지급한 필기구를 사용하여야 한다.

마. 수정할 부분이 있는 경우 수정도구를 사용하지 말고 원고지 교정법에 의하여 교정하여야 한다.

바. 본 대학교에서 지급한 필기구를 사용하지 않거나, 수정도구를 사용한 경우, 답안지에 특별한 표시를 한 경우, 또는 원고지의 일정분량 이상을 작성하지 않은 경우에는 감점 또는 0점 처리한다.

사례 2)

Ⅰ. 필요한 경우 한 개 또는 여러 개의 제시문을 선택하여 논의를 전개하고, 사용한 제시문은 꼭 참고문헌 형태로 표시하시오.

　　예) …[제시문 1-4].

　　예) …되며[제시문 2-4], …의 경우는 ~을 보여준다[제시문 2-1].

Ⅱ. [문제 1]부터 [문제 4]까지 문제 번호를 쓰고 순서대로 답하시오.

Ⅲ. 연필을 사용하지 말고, 흑색이나 청색 필기구를 사용하시오.

Ⅳ. 인적사항과 관련된 표현을 일절 쓰지 마시오.

Ⅴ. 문제당 배점은 동일함.

사례 3)

◇ 각 문제의 답안은 배부된 OMR 답안지에 표시된 문제지 번호에 맞춰 작성하시오.

◇ 각 문제마다 정해진 글자수(분량)는 띄어쓰기를 포함한 것이며, 정해진 분량에 미달하

거나 초과하면 감점 요인이 됩니다.
◇ 답안지의 수험번호는 반드시 컴퓨터용 수성 사인펜으로 표기하시오.
◇ 답안은 검정색 필기구로 작성하시오. (연필 사용 가능)
◇ 답안 수정시 원고지 교정법을 활용하시오. (수정 테이프 또는 연필지우개 사용 가능)
◇ 답안 내용 및 답안지 여백에는 성명, 수험번호 등 개인 신상과 관련된 어떤 내용, 불필
요한 기표하면 감점 처리됩니다.

사례 4)
◆ 답안 작성 시 유의사항 ◆
□ 논술고사 시간은 90분이며, 답안의 자수 제한은 없습니다.
□ 1번 문항의 답은 답안지 1면에 작성해야 하고, 2번 문항의 답은 답안지 2면에
작성해야 합니다. 1, 2번을 바꾸어 작성하는 경우 모두 '0점 처리'됩니다.
□ 연습지는 별도로 제공하지 않습니다. 필요한 경우 문제지의 여백을 이용하시기
바랍니다.
□ 답안은 검정색 또는 파란색 펜으로만 작성하며 연필, 샤프는 사용할 수 없습니다.
□ 답안 수정은 수정할 부분에 두 줄로 긋거나 수정테이프(수정액은 사용 불가)를
사용해서 수정합니다.
□ 답안지에는 답 이외에 아무 표시도 해서는 안 됩니다.
□ 답안지 교체는 고사 시작 후 70분까지 가능하며, 그 이후는 교체가 불가합니다.

2. 제시문에 먼저 눈을 두지 말고 문제를 파악하라!!!

대학별 고사인 논술의 어려운 점은 시간의 제한이 있는 글쓰기 시험이라는 것이다.
자유롭게 잘 쓸 수 있는 내용일지라도 시간의 제한이 있으면 얘기가 달라진다. 특히
지금과 같이 각 대학별로 다양하게 등장하는 시험에 익숙하지 않은 수험생에게는 더
큰 부담으로 작용을 한다.

대학에서는 다양하게 제시문과 문제를 분포시킨다. 문제를 등장시키고 제시문이 등장
하는 경우, 그림과 도표, 그래프 등과 같이 자료를 제시하고 제시문과 문제를 함께 등
장시키는 경우, 제시문을 많이 등장시키고 마지막에 문제를 제시하는 경우 등... 이렇
듯 다양한 문제에 시간의 적절한 활용은 대학별 고사의 실전에서는 당락을 결정하는
중요 요소이다.

이러한 실전적 논술에서 핵심은 바로 목적을 가지고 제시문의 읽기가 선행되어야 한
다. 글 읽기의 핵심은 문제를 통해 논제를 구체적으로 파악하고 그 논제에 부합하게
제시문을 분석하는 것이다.

① 문제를 먼저 확인하라!! - 제시문을 읽고 문제를 보면 다시 긴 제시문을 또 읽어 시간
을 낭비한다.
② 세부 논제 확인하라!! - 한 문제라도 그 문제 속에 다루는 논제는 여러 개가 될 수 있

다. 그 질문 내용을 파악하라. 그리고 요구한 논제에 맞게 글을 구성한다.
 ③ 전제적 요건 파악하라!! - 각 문제의 전제적 요건 및 글로 표현된 부연 설명 등이 중요한 키워드가 될 수 있다.

Ⅴ. 세종대학교 기출

1. 2024학년도 세종대 수시 논술

(가) 데페이즈망은 우리말로 흔히 '전치(轉置)'[1] 로 번역된다. 이는 특정한 대상을 상식의 맥락에서 떼어 내 전혀 다른 상황에 배치함으로써 기이하고 낯선 장면을 연출하는 것을 말한다. (중략) 「골콘다」를 통해 데페이즈망의 맛을 깊이 음미해 보자. 「골콘다」는 푸른 하늘과 집들을 배경으로 검은 옷을 입고 검은 모자를 쓴 남자들이 공중에 떠다니는 모습을 그린 작품이다. 보기에 따라서는 남자들이 비처럼 하늘에서 쏟아지는 느낌을 주기도 한다. 어느 쪽이든 간에 이는 현실에서는 불가능한 상황이다.

일단 화가는 이 그림에서 중력을 제거해 버렸다. 거리를 걷고 있어야 할 사람들이 공중에 떠 있다. 그리고 그들은 자로 잰 듯 일정한 간격으로 포진해 있다. 기계적인 배치이다. 빗방울이 떨어져도 이렇듯 기하학적으로 떨어질 수는 없다. 이처럼 현실의 법칙을 벗어나 있지만, 그 비상식의 조합이 볼수록 매력이 있다. 기이하고 낯선 느낌이 보는 이에게 추리의 욕구와 신비로운 환상을 불러일으킨다. 이는 우리의 마음이 동했다는 뜻이고, 우리의 마음을 움직인 이상 이 허구의 이미지는 세상을 움직이는 하나의 힘이 되어 버린다.

데페이즈망은 우리로 하여금 현실로부터 쉽게 일탈해 무한한 자유와 상상의 공간으로 넘어가게 한다. 그런 점에서 데페이즈망은 현실에 대한 일종의 파괴라고 할 수 있다. (중략) 미국의 미술가이자 비평가인 수지 개블릭은 사물을 원래의 맥락으로부터 떼어 놓는 고립, 불가능한 것으로 바꾸는 변형, 익숙한 것을 낯설게 만드는 합성, 크기와 위치의 부조화, 우연한 만남, 동음이의어적 이중 이미지, 역설, 시공에 관한 경험을 왜곡한 이중 시점을 마그리트[2] 가 구사한 대표적인 데페이즈망 기법으로 꼽는다. (중략) 휴대용 전화기에 컴퓨터 기능을 더한 스마트폰이나 서커스에 음악, 무용, 미술과 같은 예술을 결합한 공연 등 각종 융합 상품에서 우리는 이런 데페이즈망적인 결합과 합성의 산업적 성취를 본다. 그런 점에서 기이하고 낯선 장면을 연출하는 데페이즈망은 우리의 일상에서 더는 기이하고 낯설기만 한 문화 현상이 아니다.

1. 전치(轉置): 딴 곳으로 옮겨 놓음.
2. 르네 마그리트(1898~1967): 벨기에의 초현실주의 화가. 친숙하고 일상적인 사물을 예기치 않은 공간에 나란히 두거나 크기를 왜곡하고 논리를 뒤집어 기괴한 효과를 나타내었다.

(나) 남미 작가 호르헤 루이스 보르헤스가 나이 80을 넘기면서 쓴 시에 〈순간〉이라는 것이 있다. '다음 생에 태어나 내가 다시 산다면'으로 시작되는 시다. 그는 자신의 한 생이 '순간'이었음을 알고 있다. 그러나 그 순간이 그다음의 순간으로 이어진다면 그 새로운 생을 어떻게 달리 살아 볼 것인가. 다음 생에 태어나 내가 다시 산다면? 그리고 이어서 나오는 구절— '더 많은 실수를 저지르리 / 완벽해지려고 버둥거리지 않으리.' 생의 순간적 단회성은 그 단회성을 넘어서는 연속의 상

상과 접합하고 이미 한 생의 끝자락에 선 자의 기억은 지나간 생에 대한 성찰[실수하지 않으려고 왜 그토록 버둥거렸던가.] 위에서 다른 삶의 방식[더 많이 실수하리.]을 제시한다.

재탄생의 상상은 물론 불가능한 것에 대한 상상력이다. 그러나 중요한 것은 알 수 없는 미래를 향한 그 상상력이 과거의 기억, 그리고 지나간 삶에 대한 성찰과 결합해 있다는 점이다. 이것이 기억과 상상의 접합이다. 이런 접합은 인간이 처한 유한한 조건으로부터 나오고 그 조건 때문에 가능하다. 게다가 그 연속의 상상력 속에서 새로운 삶의 방식은 유한성을 거부하는 것이 아니라 오히려 확인한다. 인간이 완벽성을 추구할 수 없다는 것이 유한성의 인정이다. 천사에게라면 이런 성찰, 상상, 인정은 필요하지 않다.

기억과 사유, 상상과 표현은 인간을 인간이게 하는 독특한 능력들의 목록을 대표한다. 인간이 천사를 향해 자랑할 것도 결국은 그 네 가지 능력으로 집약된다. 인간은 기억하고 생각하고 상상하고 표현하는 존재이다. 그 네 가지 능력의 어느 것도 완벽하지 않다. 기억은 수많은 구멍들을 갖고 있고 사유는 불안하다. 상상은 기억과 사유의 한계를 확장하지만 유한한 경험의 울타리를 아주 벗어나지는 못한다. 표현의 형식과 내용도 시간성에 종속된다. 그러나 기억, 사유, 상상, 표현의 인간적 시도들은 그것들이 지닌 한계 때문에 무용해지는 것이 아니라 유한한 것들만이 가지는 순간적 아름다움의 광채를 포착하고 표현하기 때문에 위대하다. (중략) 기억이 완벽할 수 있다면 아무도 기억하기 위해 애쓰지 않을 것이며 사유가 완전할 수 있다면 아무도 사유의 엄밀성을 이상화하지 않을 것이다. 지식의 한계 때문에 상상은 위대해지고, 표현할 수 없는 것들에 대한 도전 때문에 표현은 아름다워진다.

(다) 전체줄거리: '나'와 연인 관계인 그는 나무뿌리를 재료로 작품을 만든다. (중략)

포도나무 뿌리를 실은 그의 왜건³을 타고 영동을 벗어나, 한밤의 경부 고속 도로를 달리면서 나는 그에게 미처 못한 이야기를 해 주었다. 시간이 한참 흘러서야 고모할머니가 일본군 '위안부'였다는 사실을 알게 되었다는 걸. 그때는 그녀가 이미 세상을 떠나 그 어디에도 없었다는 것을.

왜건 뒷자리에 실린 포도나무 뿌리가 나는 그 어떤 뿌리보다 더 고모할머니의 손 같았다. 일 년여를 한방에서 지내는 동안 밤마다 이불 속을 더듬어 오던, 잠들려 하는 내 손을 슬그머니 움켜쥐던 고모할머니의 손이 시공을 초월해 그의 왜건 뒷자리에 실려 있는 것 같았다. 밤마다 내 손을 움켜쥐던 그녀의 손은 쪼그라들어, 겨우 아홉 살이던 내 손보다 작아 보였다. (중략)

"고모할머니 이름이 남귀덕이었어."

한 번도 불러 본 적 없는 이름을, 부를 일 없을 것 같던 이름을 나는 그렇게 부르고 있었다. (중략)

영동에서 구해 온 포도나무 뿌리, 그 뿌리를 나는 며칠 전 다시 보았다. 경복궁 근처 백 년도 더 된 한옥을 개조해 만든 갤러리에서였다. 정희 선배가 찻집 겸 갤러리를 내면서 대학교 때부터 눈여겨본 후배 몇 명에게 전시할 기회를 제공해 준 것이었다. 부엌을 개조해 만든 전시실, 공중 곡예를 하듯 허공에 위태롭게 매달려 있는 그 뿌리가 영동에서 구해 온 뿌리라는 것을, 나는 단박에 알아차렸다. 말리고, 방부제 처리를 하고, 접착제를 바르고, 촛농을 입히는 동안 형태가 달라졌음에도 불구하고. 두 평 남짓한 전시실 입구 옆 명조체로 '남귀덕'이라고 적힌 작품명을 보았던 것이다.

나는 선뜻 전시실 안으로 발을 내딛지 못했다. 포도나무 뿌리가 드리우는 흰색으로 넘쳐나는 전시실 천장과 벽과 바닥에 포도나무 그림자가 드리워져 있었기 때문이었다. 귀기가 감도는 그 그림자 속으로 들어서면서 나는 깨달았다. (중략) 그녀가 그토록 찾던 것은 흙이었다는 걸. 태어나고 자란 자리에서 파헤쳐져 내팽개쳐진 뿌리와도 같은 자신의 존재…… 잎 한 장, 꽃 한 송이, 열매 한 알 맺지 못하고 철사처럼 메말라 가던 자신의 존재를 받아 줄 흙이었다고…… 뿌리 뽑혀 떠돌던 그녀의 존재를 그나마 내치지 않고 품어 줄 한 줌의 흙. (중략)

아버지와 어머니, 그 어느 쪽도 뚜렷하게 닮지 않은 모호한 얼굴이 누구를 닮았는지 서른아홉 살이 되어서야 깨닫고 있었다. 거울 속 얼굴은 뜻밖에도 고모할머니인 그녀를 닮아 있었다. 무표정한 내 얼굴 위로 그녀의 얼굴이 습자지처럼 겹쳐 떠올랐던 것이다. 놀라운 일이었지만, 불가능한 일은 아니었다. 고모할머니인 그녀의 몸속에 흐르는 피가 내 몸속에도 흐르고 있을 것이기 때문이었다. (중략)

거울 아래 어지럽게 흩어진 머리카락을 주우면서 나는 의문했다. 그녀도 그렇게 느낀 것은 아닌지…… 장조카의 딸인 내가 고모할머니인 자신을 닮았다고. 자신을 꼭 닮은 나를 보면서 자신의 어린 날을 떠올렸던 것은 아닌지. (중략) "죽는 순간에 고모할머니가 손에 꼭 그러잡고 있던 게 뭐였는지 알아? 가제 손수건도, 보청기도 아니었어. 내 손…… 내 손이었어.

3. 왜건: 승용차를 모양에 따라 분류한 형식의 하나. 세단의 지붕을 뒤쪽까지 늘려 뒷자석 바로 뒤에 화물칸을 설치한 승용차

1. 제시문(가)는 그림 「골콘다」를 예시로, 제시문(나)는 시 <순간>을 예시로 활용하여 제시문 (가)와 (나)를 각각 요약하시오. (250점, 400~500자, 제시된 작성 분량 미 준수 시 감점 처리됨.)

2. 제시문 (다)의 등장인물 '그'의 창작 활동과 제시문 (다)를 지은 저자의 창작 활동을 제시문 (가)와 (나)를 활용하여 각각 설명하시오. (450점, 800~900자, 제시된 작성 분량 미 준수 시 감점 처리됨.)

세종대학교
SEJONG UNIVERSITY

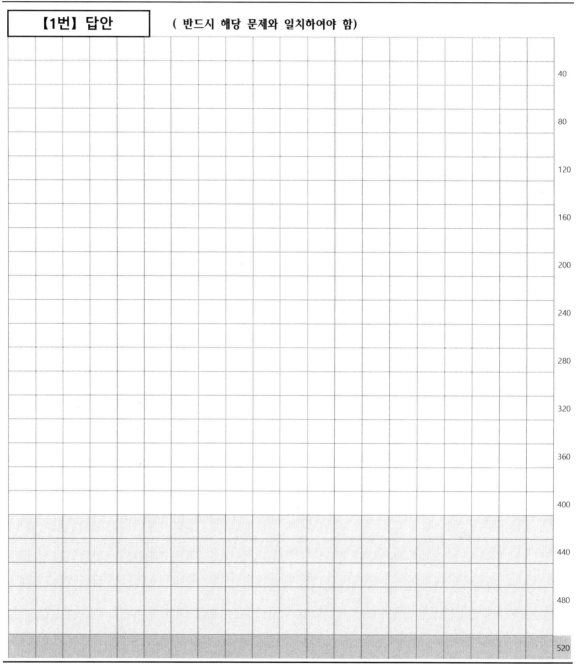

이 줄 아래에 답안을 작성하거나 낙서할 경우 판독이 불가능하여 채점 불가

이 줄 위에 답안을 작성하거나 낙서할 경우 판독이 불가능하여 채점 불가

【2번】답안   (반드시 해당 문제와 일치하여야 함)

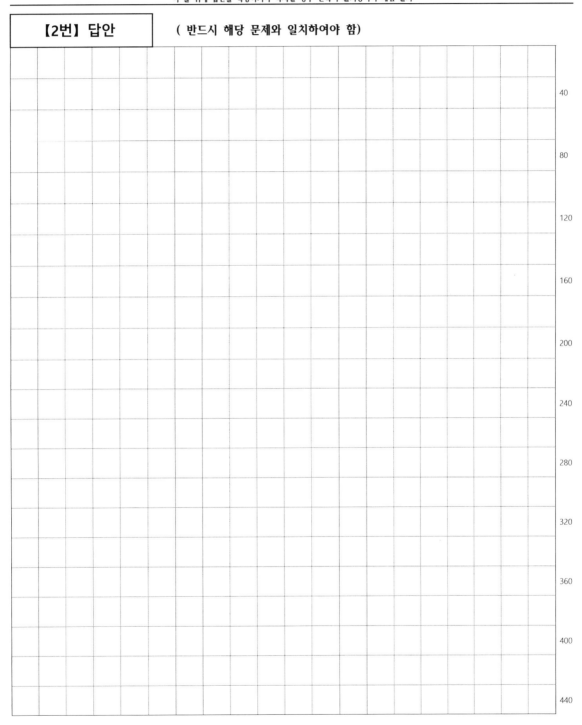

480

520

560

600

640

680

720

760

800

840

880

920

(가) 아버지는 아들의 뒤를 쫓아 이내 개울에서 들어왔다. 아들은, 의사인 아들은, 마치 환자에게 치료 방법을 이르듯이, 냉정히 채견채견히 이야기를 시작하였다. 외아들인 자기가 부모님을 진작 모시지 못한 것이 잘못인 것, 한집에 모이려면 자기가 병원을 버리기보다는 부모님이 농토를 버리시고 서울로 오시는 것이 순리인 것, 병원은 나날이 환자가 늘어 가나 입원실이 부족하여 오는 환자의 삼분지 일밖에 수용 못 하는 것, (중략) 시골에 땅을 둔대야 일 년에 고작 삼 천원의 실리가 떨어질지 말지 하지만 땅을 팔아다 병원만 확장해 놓으면, 적어도 일 년에 만원 하나씩은 이익을 뽑을 자신이 있는 것, 돈만 있으면 땅은 이담에라도, 서울 가까이라도 얼마든지 좋은 것으로 살 수 있는 것............ 아버지는 아들의 의견을 끝까지 잠잠히 들었다. 그리고, (중략)

"천금이 쏟아진대두 난 땅은 못 팔겠다. 내 아버님께서 손수 이룩히시는 걸 내 눈으로 본 밭이구, 내 할아버님께서 손수 피땀을 흘려 모신 돈으로 작만(作滿)[1]허신 논들이야. (중략) 돈 있다고 땅이 뭔지두 모르구 욕심만 내 문서 쪽으로 사 모기만 하는 사람들, 돈놀이처럼 변리(邊利)[2]만 생각허구 제 조상들과 그 땅과 어떤 인연이란 건 도시(都是)[3] 생각지 않구 헌신짝 버리듯 하는 사람들, 다 내 눈엔 괴이한 사람들루밖엔 뵈지 않드라. (중략) 세상에 흔해 빠진 지주들, 땅은 작인들헌테나 맡겨 버리구, 떡 도회지에 가 앉어 소출(所出)[4]은 팔어다 모다 도회지에 낭비해 버리구, 땅 가꾸는 덴 단돈 일 원을 벌벌 떨구, 땅으루 살며 땅에 야박한 놈은 자식으로 치면 후레자식[5] 셈이야. (중략) 네가 가업을 이어 나가지 않는다군 탄허지 않겠다. 넌 너루서 발전헐 길을 열었구, 그게 또 모리지배[6]의 악업이 아니라 활인(活人)[7]허는 인술이구나! 내가 어떻게 불평을 말허니? 다만 삼사 대 집안에서 공들여 이룩해 논 전장[8](田莊)을 남의 손에 내맡기게 되는 게 저윽 애석헌 심사가 없달 순 없구…"

"팔지 않으면 그만 아닙니까?"

"나 죽은 뒤에 누가 거두니? 너두 이제두 말했지만 너두 문서 쪽만 쥐구 서울 앉어 지주 노릇만 허게? 그따위 지주허구 작인 틈에서 땅들만 얼말 골른지 아니? 안 된다. 팔 테다. 나 죽을 임시(臨時)[9]엔 다 팔 테다. 돈에 팔 줄 아니? 사람헌테 팔 테다. 건너 용문이는 우리 느르지논[10] 같은 건 한 해만 부쳐 보구 죽어두 농군으로 태낳은 걸 한허지 않겠다구 했다. 독시장밭[11]을 내놓는다구 해 봐라, 문보나 덕길이 같은 사람은 길바닥에 나앉드라두 집을 팔아 살려구 덤빌 게다. 그런 사람들이 땅 님자 안 되구 누가 돼야 옳으냐? 그러니 아주 말이 난 김에 내 유언이다. 그런 사람들 무슨 돈으로 땅값을 한목 내겠니? 몇몇 해구 그 땅 소출을 팔아 연년이 갚어 나가게 헐 테니 너두 땅값을랑 그렇게 받어 갈 줄 미리 알구 있거라. 그리구 네 모가 먼저 가면 내가 묻을 거구, 내가 먼저 가게 되면 네 모만은 네가 서울로 그때 다려가렴. 난 샘말서 이렇게 야인(野人)[12]으로나 죄 없는 밥을 먹다 야인인 채 묻힐 걸 흡족히 여긴다."

"자식의 젊은 욕망을 들어 못 주는 게 애비 된 맘으루두 섭섭하다. 그러나 이 늙은이헌테두 그만 신념쯤 지켜 오는 게 있다는 걸 무시하지 말어다구."

1) 작만: '장만'을 한자를 빌려서 쓴 말.
2) 변리: 남에게 돈을 빌려 쓴 대가로 치르는 일정한 비율의 돈.
3) 도시: 도무지.
4) 소출: 논밭에서 나는 곡식. 또는 그 곡식의 양.
5) 후레자식: 배운 데 없이 제풀로 막되게 자라 교양이나 버릇이 없는 사람을 낮잡아 이르는 말.
6) 모리지배: 모리배. 온갖 수단과 방법으로 자신의 이익만을 꾀하는 사람. 또는 그런 무리.
7) 활인: 사람의 목숨을 구하여 살림.
8) 전장: 개인이 소유하는 논밭.
9) 임시: 정해진 시간에 이름. 또는 그 무렵.
10) 느르지논: 철원군 철원읍 사요리 일대의 기름진 논을 이르는 말.
11) 독시장밭: 철원에 소재한 선비소(늪) 위에 있는 밭 이름.
12) 야인: 시골에 사는 사람.

(나) 결론부터 말하면 합리성은 문화적으로 정의되는 것이고, 사람들의 행동 환경은 아주 다르다. 모든 인간은 나름대로 합리적이지만 그 문화는 환경에 의해 만들어진 것이며 사람들의 인식과 가치와 욕망도 마찬가지다. 그들도 우리만큼이나 합리적인 것이다.

미국의 인류학자인 스피로는 미얀마 사람들에게는 증권 투자보다도 종교적인 지출이 훨씬 더 합리적인 의사 결정일 수 있다는 점을 명확히 밝히고 있다. 그의 관찰에 의하면, 북부 미얀마의 가난한 농부들은 서구인이 봤을 때 불필요한 일들에 수입 대부분을 지출한다. 대개 종교적인 의례나 승려들을 위한 만찬, 정교한 탑을 쌓는 일 등이다. 그러나 이러한 지출 행위가 어리석거나 비합리적인 것이라고 할 수는 없다. 그들은 불교문화라는 맥락에서 합리적인 행위를 하는 것이다. 그들에게 부는 언제 사라질지 모르는 불안한 것이기 때문에, 돈을 저축하여 재산을 모으는 것보다 재산을 소비하는 것이 오히려 좋은 일이라고 생각한다. 또한, 그들은 일상적이고 상징적인 수준에서 환생과 업보와 자비를 통해 공덕을 쌓는 불교 신념을 실천한다. 이러한 신념 때문에 그들이 승려를 위한 만찬이나 종교적 의례, 탑 쌓는 일 등에 돈을 지출하는 것은 현세에서 다른 이들과 좋은 인연을 맺고 위세와 존경을 얻으며, 내세에서 더 좋은 환생을 보장받는 매우 합리적인 방법인 것이다.

(다) 가치 있는 삶을 살 것이냐, 행복한 삶을 살 것이냐는 개인의 선택이다. 다만 강조하고 싶은 점은 첫째, 이 둘은 같지 않다는 것이고, 둘째, 어디에 무게를 두느냐에 따라 삶의 선택과 관심이 달라진다는 것이다. 무엇이 가치 있는지를 평가하기 위해서는 잣대가 필요하고, 많은 경우 그 잣대의 역할을 하게 되는 것은 다른 사람들의 평가이다. 내가 무엇을 좋아하고, 하고 싶은지보다 우선시되는 것은 내 선택을 남들이 어떻게 평가하느냐인 것이다. 이러한 관점에서 보면, 내가 지금 좋고 즐거운 것보다 남들 눈에 사려 깊고 힘 있는 사람으로 인정받는 것이 더 중요해진다. 하지만 이런 사고는 쾌락적 즐거움의 기회를 놓치게 한다. 미국 시카고 대학 씨이

교수의 유명한 초콜릿 연구가 있다. 대학생들에게 2온스의 바퀴벌레 모양의 초콜릿과 0.5온스의 하트 모양의 초콜릿 중 하나를 고르게 했다. 예쁜 것을 선호하는 보편적인 심리를 고려했을 때, 먹는 즐거움은 하트 모양 초콜릿이 더 크겠지만 68%의 학생들은 크기가 더 큰 바퀴벌레 모양 초콜릿을 선택했다. '일반인의 합리주의'라고 불리는 이 현상은 자신의 선택이 타인에게 정당한 선택으로 보이고 싶은 욕구에서 비롯된다. 그까짓 모양보다는 객관적인 양의 차이를 비교해서 내리는 선택이 더 합리적으로 보일 것이라 판단하는 것이다.

몇 해 전부터 내가 재직하는 대학에서는 심리학을 전공하려는 학생 수가 급증했다. 그러다 보니 학점이 좋은 학생부터 전공을 선택할 수 있는 제도가 도입된 적이 있다. 그 당시 한 학생에게 심리학 전공을 선택한 이유를 물어보았다. 의외의 답이 나왔다. 심리학에 특별한 관심이 있어서라기보다, 높은 학점을 최대한 활용하기 위해 심리학을 전공하기로 했다는 것이다. 사실 우리 사회에서 자주 보는 일이다. 천문학자가 되고 싶었지만 자신의 성적에 맞추어 의대 진학을 결정하는 학생들. 더 행복해지기 위한 선택이라고 생각하지만, 명분에 행복을 양보하는 습성으로 인해 생긴 결과라 할 수 있다.

1. 제시문 (가)의 밑줄 친 아버지의 '신념'이 의미하는 바를 설명하시오. (400~500자, 제시된 작성 분량 미 준수 시 감점 처리됨).

2. 제시문 (다)의 주장을 요약하고, 이 주장을 제시문(가)와 (나)를 각각 활용하여 반박하시오.(800~900자, 제시된 작성 분량 미 준수 시 감점 처리됨)

계 열	지 원 학 과
인 문 계 열	

성 명

【1번】 답안	(반드시 해당 문제와 일치하여야 함)

40

80

120

160

200

240

280

320

360

400

440

480

520

이 줄 아래에 답안을 작성하거나 낙서할 경우 판독이 불가능하여 채점 불가

38

【2번】답안　　　(반드시 해당 문제와 일치하여야 함)

														40
														80
														120
														160
														200
														240
														280
														320
														360
														400
														440

480

520

560

600

640

680

720

760

800

840

880

920

3. 2023학년도 세종대 수시 논술

(가) 나는 <레 미제라블> 생각을 했다. <레 미제라블>의 바리케이드 시가전 장면에서 **바리케이드 안의 사람들**은 완전히 고립되었고 새벽이 밝아 오면 곧 모두 죽을 것이다. 그런데 여차여차해서 네 명만은 무사히 살아 나갈 수 있게 되었다. 다들 내가 나가겠다고 아우성을 칠 것이라고 생각했지만 이야기는 정반대로 진행되었다. 모두 자신이 죽겠다고 기왕 죽을 거면 훌륭한 죽음을 맞고 싶다고 말한다. 모두 내가 아니라 당신이 살아 나가야 한 다고, 당신은 아내가 누이가 아이가 있지 않느냐고 우긴다. 그들은 인류를 위해서 한 개인에 불과한 자신의 목숨을 순수한 선물로 바치려 한다. (중략) <레 미제라블>을 읽으면서 포기하려 해도 결코 포기할 수 없는 위대한 인류에 대한 믿음에 가까이 가 볼 수 있었다. 결국 믿음을 지키기 위해서 우리에게는 우리가 살고 있는 것보다 더 높은 현실에 매달려야 하는 순간이 있는 것이다.

그런데 <레 미제라블>을 읽으면서 한 가지 더 생각해 보고 싶은 게 있었다. '레 미제라블'은 도대체 누구를 말하는가? 위고는 매춘부, 억울한 도둑, 굶주린 하층민 계급에 대해서만 말하려 했던가? 공원에 며칠째 굶주린 어린 두 형제가 있다. 그곳에 자기 삶은 올바르다는 확신에 가득 찬 중산층 시민 아버지가 아들을 데리고 산책을 나온다. 아들 손에는 **빵**이 있다. 배가 부른 아들은 호수의 백조들에게 **빵**을 던져 준다. 그리고 이 부자가 사라지자 형은 동생을 위해 호수에서 물에 젖은 **빵**을 건져 내 두 조각으로 나누고 큰 것은 동생에게 주고 작은 것은 자기가 먹는다. 이 부분 바로 앞에 위고가 쓴 말들을 요약하자면 이렇다. 다른 인간에게 관심을 갖지 않는 사람들, 평화롭고 무자비하게 만족한 사람들, 자기들이 불쌍한 사람이란 생각을 조금도 하지 않는 사람들, 울지 않는 사람들을 찬미하라. 그리고 불쌍히 여겨라!

그런데 **장 발장**도 자신에 대해서 '나는 불쌍한 사람'이란 말을 사용한다. 그것도 단 한 경우에만 사용한다. 그건 억울한 옥살이에 관한 것이 아니다. 그건 오로지 양심과 관련된 이야기다. 코앞에 다가온 행복조차 오로지 양심을 지키기 위해서라는 단 하나의 이유로 포기할 때 그는 "나는 레 미제라블이에요!"라고 말한다. **여기서 레 미제라블의 의미가 바뀌어 버린다.** 그들은 단지 불쌍한 사람들이 아니다. (중략) 빵 한 쪽을 나눠 더 큰 반쪽을 동생에게 주는 형, 비참함 속에서 양심을 지키는 장 발장이 바로 레 미제라블이다. 나는 레 미제라블이에요! 이 말은 위대한 인간 선언인 것이다.

(나) [전체 줄거리] 종술은 대처로 떠돌며 살다가 고향에 돌아와서 하는 일 없이 낚시나 하며 지내고 있었다. 그런 종에게 최 사장이 이곡리 판금 저수지 양어장의 감시를 맡긴다. (중략) 완장을 찬 종술은 도시에서 와 낚시질을 하던 사람들에게 기합을 주기도 하고 고기를 잡던 동창 부자를 폭행하기도 한다. 완장의 힘에 빠진 종술은 읍내에 나갈 때도 완장을 두르고 활보한다. (중략)
본문은 최 사장과 익삼이 종술에게 저수지 감시원을 맡을 것을 설득하는 부분이다.

"사람이 운수 불길혀서 잠시 잠깐 이런 촌구석에 처박혀 있다고 그렇게 호락호락 시삐 보들 마시오! 에이 여보들 저수지 감시가 뭐요. 감시가! 내가 게우 오만 원짜리 꼴머심 푼수배끼 안 되는 것 같소? 나 **임종술**이 이래 뵈야도 왕년에는 사장님 소리까지 들어 본 사람이요!" (중략)

"내가 자네라면은 나는 기왕 낚시질허는 짐에 비단잉어에다 월급 봉투를 암냥혀서('물건 따위를 호송해서'의 뜻) 한목에 같이 낚어 올리겠네. 삽자루 들고 땅띠기허는 배도 아니고 그냥 소일 삼어서 감시원 완장 차고 물 가상이로 왔다리 갔다리 하면서……"

"완장요!"

그렇다. 완장 바로 그것이었다. 그것이 순간적으로 종술의 흥분한 머리를 무섭게 때려서 갑자기 멍한 상태로 만들어 놓는 것이었다.

"팔에다 차는 그 완장 말입니까?" (중략)

시장 경비나 방범들의 눈을 피해 전 재산이나 다름없는 목판을 들고 이 골목 저 골목으로 끝없이 쫓겨 다니던 시절, 도로 교통법 위반이다 뭐다 해서 걸핏하면 포장마차에 걸려 오던 시비와 단속들. (중략) 어느 시기나 다 마찬가지로 돈을 벌어 보려고 몸부림치는 그의 노력 앞에는 언제나 완장들이 도사리고 있었던 셈이다. 완장 앞에서는 선천적으로 약한 체질이었다. 완장 때문에 녹아나는 건 늘 제 쪽이었다. 제각각 색깔 다르고 글씨도 다른 그 숱한 완장들에 그간 얼마나 많은 한을 품어 왔던가. 그리고 다른 한편으로는 그 완장들을 얼마나 또 많이 선 망해 왔던가. (중략)

"뭣이여야? 완장이여?"

"예, 여그 요짝 왼팔에다 감시원 완장을 처억 허니 둘르고 순시를 돌기로 했구만요. 그냥 맨몸뗑이로 단속에 나서면 권위가 없어서 낚시꾼들이 시삐 보고 말을 잘 안 들어 먹으니까요."

그제서야 종술은 자라 콧구멍을 벌름거리고 메기주둥이를 히죽거려 가며 구태여 자랑스러움을 감추려 하지 않았다.

"오매 시상에나, 니가 완장을 다 둘러야?"

"그깟 놈의 것, 쇠고랑 채울 권한도 없고 그냥 명예뿐인디요. 뭐. (중략) 엄니는 동네서 사람대접 조깨 받고 살라고 그러는 아들이 그렇게도 여엉 못마땅해요?"

(다) 소유와 존재는 삶의 두 가지 기본 양식이며, 그것이 개인적 성격은 물론 사회적 성격의 유형 차이를 결정한다는 것을 알게 되었다. (중략) 우리는 자신이 소유하고 있는 것을 알고 있기에 거기에 매달림으로써 안정감을 찾는다. 미지의 것, 불확실한 것을 향해 발걸음을 내딛는 것은 두렵다. 그래서 우리는 그것을 회피하려고 한다.

우리는 유아일 때 자기 육체와 어머니의 품만을 가지고 있을 뿐이었다. 점차로 우리는 세계를 향해 우리 자신을 서게 하고 세계 속에 자기 자리를 만드는 과정을 시작한다. 어머니, 아버지, 형제자매, 장난감을 갖게 되고, 그 후에 지식, 직업, 사회적 지위, 배우자, 자녀들을 갖게 되며, 좀 더 지나면 내생(來生 '죽은 뒤의 생애'의 뜻)이라고 할 만한 것. 즉 매장지, 생명 보험, 유언 같은 것까지 '소유'하게 된다.

그러나 이렇게 소유에 안정감을 느끼면서도 한편으로는 새로운 것에 대한 이상을 가진 사람들, 새 길을 개척하는 사람들, 전진하는 용기를 가진 사람들을 찬양한다. 신화에서는 이런 삶의 양식이 '영웅'을 통해 상징적으로 표현된다. 영웅이란 자신이 가진 것, 즉 토지, 가족, 재산 등에 얽매이지 않고 앞으로 나아가는 용기를 가진 사람이다. 그들 역시 두려움이 없었던 것은 아니지만, 그들은 두려움에 굴복하지 않고 모험을 감행(敢行)한다. (중략) 조심성 많고 무언가 소유하고 있는 사람들은 안정감을 느끼는 것 같지만 실상 필연적으로 불안정하다. 그들은 돈, 명성, 그들의 자아 등 자신이 가지고 있는 것, 즉 자신 외부의 어떤 것에 의존하고 있다. (중략) 소유하고 있는 것은 잃어버릴 수 있기 때문에 나는 필연적으로 가지고 있는 것을 잃어버릴까 봐 항상 걱정하게 된다. 도둑을 경제적 변화를 혁신을, 병을, 죽음을 두려워한다. (중략) 그러나 존재 양식의 삶에는 자기가 소유하고 있는 것을 잃어버릴지도 모르는 위험에서 오는 걱정과 불안이 없다. 나는 '존재하는 나'이며, 내가 소유하고 있는 것이 내가 아니기 때문에, 아무도 나의 안정감과 주체성을 빼앗거나 위협할 수 없다. (중략) 소유는 사용함으로써 감소 되는 반면, 존재는 실천함으로써 성장한다. 이성의 힘, 사랑의 힘, 예술적·지적 창조의 힘 등 모든 기본적인 힘 은 발현되는 과정을 통해 성장한다.

1. 제시문 (가)에서 밑줄 친 '여기서 레 미제라블의 의미가 바뀌어 버린다.'가 뜻하는 바를 설명하시오. (250점. 400~500자. 제시된 작성 분량 미 준수 시 감점 처리됨.)

2. 제시문 (다)를 활용하여 제시문 (가) '바리케이드 안의 사람들'과 '장 발장', 제시문 (나) '임종술'의 행위를 각각 설명하고 이를 토대로 '임종술'의 행위를 비판하시오. (450점, 800~900자, 제시된 작성 분량 미 준수 시 감점 처리됨.)

세종대학교
SEJONG UNIVERSITY

계 열	지 원 학 과
인 문 계 열	

성 명

【1번】답안

(반드시 해당 문제와 일치하여야 함)

														40
														80
														120
														160
														200
														240
														280
														320
														360
														400
														440
														480
														520

이 줄 아래에 답안을 작성하거나 낙서할 경우 판독이 불가능하여 채점 불가

44

이 줄 위에 답안을 작성하거나 낙서할 경우 판독이 불가능하여 채점 불가

【2번】답안   (반드시 해당 문제와 일치하여야 함)

40

80

120

160

200

240

280

320

360

400

440

480

520

560

600

640

680

720

760

800

840

880

920

4. 2023학년도 세종대 모의 논술

(가) 제가 『해리포터』를 쓰기 전에 …… 런던에 있는 국제 사면 위원회 본부의 연구 부서에서 일하면서 생활비를 벌고 점심시간을 쪼개 소설을 쓰고 있었습니다.

저는 코딱지만 한 제 사무실에서 독재 정권하에서 탄압받는 사람들이 서슬이 시퍼런 권력의 눈을 피해 몰래 반출한 편지들을 읽었습니다. …… 저는 흔적도 없이 사라져 버린 사람들의 사진을 보았는데, 그 사진들은 실종된 사람들의 가족과 친구들이 절박한 심정으로 저희에게 보낸 것들이었습니다. 저는 끔찍한 고문을 당한 사람들의 증언도 읽었고, 고문으로 인한 상처도 사진으로 보았습니다.

그러나 동시에 저는 그곳에서 일하는 동안, 인간의 선한 면에 관해서 이전보다 더 많이 알게 되었습니다. 국제 사면 위원회에서는 수천 명의 직원들이 그들 자신은 신념 때문에 고문을 당하거나 투옥된 경험이 없는데도 그런 고통을 겪은 사람들을 위해 일하고 있습니다. 공감의 힘은 단체 행동을 불러일으키고 그것은 생명을 구하며 감금된 자들을 해방합니다. 편안하고 안정된 삶이 보장된 보통 사람들이 힘을 모아서 자신들이 알지도 못하고 평생 만날 일도 없을 사람들을 구하려고 애씁니다. …… 인간은 직접 경험하지 않은 것을 배우고 이해하는 능력이 있습니다. 스스로 다른 사람의 처지가 되어서 생각할 수 있는 것이지요. …… 어떤 이는 이러한 능력을 다른 사람을 이해하거나 공감하는 데 쓰기보다는 다른 사람을 자기 마음대로 통제하고 조정하는 데 쓸지도 모릅니다.……

여러분이 여러분의 위치와 영향력을 이용하여 발언권이 없는 이웃을 대신해서 주장을 펼친다면, 만약 여러분이 힘 있는 사람들뿐만 아니라 힘없는 사람들과 동질감을 느끼려 한다면, 만약 여러분이 상상력을 발휘해서 여러분이 누린 것과 같은 혜택을 받지 못한 사람들의 인생 속으로 들어가본다면, 여러분의 자랑스러운 가족뿐만 아니라 여러분의 도움으로 더욱 나은 삶을 살게 된 수천수만의 사람이 여러분의 존재를 기릴 것입니다. 세상을 바꾸는 데 마법은 필요 없습니다.

(나) 한 집단에 소속되어 집단의 이익을 추구하는 과정에서 부도덕적 행위로 지탄을 받는 사람들이 종종 신문 기사에 오르내린다. 주변 사람들은 "아니, 그 담당자 엄청 성실하고 착한 사람이던데. 어떻게 회사를 위해 그런 일을 했대?"라며 의아해하는 경우가 많다. 한 개인으로서의 '나'와 집단의 구성원으로서 이익을 추구하는 '소속된 나'는 다른 것일까?

이런 경우는 어떨까? 시험이 끝나고 친한 친구들끼리 밥값 내기 축구 시합을 했다. 경기가 과열되자, 각 팀의 선수들은 시합에서 이기기 위해 상대 팀에게 교묘한 반칙과 격한 항의를 하기 시작했고, 결국 시합은 감정싸움으로 번졌다.

우리는 이런 사례에서 하나의 문제의식을 가질 수 있다. 도덕적인 개인임에도 불구하고 왜 집단의 이익 앞에서는 도덕성이 현저히 떨어지는 걸까? 우리는 간혹 집단에서 발생하는 유·무형의 폭력이라든가, 집단 이기주의로 인해 발생하는 집단간의 갈등을 접하며 이런 생각을 할 때가 있다. '한 사람 한 사람 떼어 놓고 보면 모두 괜찮은 사람들인데, 왜 저런 문제들이 발생하는 걸까?'

니부어는 집단의 도덕성은 개인의 도덕성보다 현저히 떨어진다고 주장하며, 개인이 아무리 도덕적일지라도 사회 집단은 이기적이고 부도덕할 수 있다고 보았다. 즉 자신이 속한 집단의 이익을 위해 비도덕적인 행동을 쉽게 할 수 있다는 것이다.

전통 사회에서는 사회 내의 윤리적 문제의 원인을 개인의 양심 및 도덕성의 결핍에서 찾으며, 바른 도덕성을 길러주고 품성을 도야하는 것이 그 해결책이라고 보았다. 하지만 현대 사회의 다양하고 복잡한 윤리 문제들이 등장하면서, 개인의 양심과 덕목의 실천만을 강조하는 개인 윤리는 한계에 부딪혔다.

(다) "어제 궐기 대회 한다 하고 간 사람이 누구누구십니까. 황만근 씨하고 같이 간 사람은요? 궐기 대회 하는 동안 본 사람은 없나요?"

자리에 모인 대여섯 명의 황씨들은 서로의 얼굴을 마주 보더니 모두 고개를 흔들었다.…… 민씨는 자신도 모르게 따지는 어조가 되었다.

"군 전체가 모두 모여도 몇명 안 되었다면서요. 그런 자리에 황만근 씨가 꼭 가야 합니까. 아니, 황만근 씨만 가야 할 이유라도 있습니까. 따로 황만근 씨한테 부탁을 할 정도로."

"이 사람이 뭐라 카는 기라. 이장이 동민한테 농가 부채 탕감 촉구 전국 농민 총궐기 대회가 있다. 꼭 참석해서 우리의 입장을 밝히자 카는데 뭐가 잘못됐단 말이라."

"잘못이라는 게 아니고요. 다른 사람들은 다 돌아왔는데 왜 황만근 씨만 못 오고 있나 하는 겁니다. …… 그 자리에 꼭 황만근 씨만 경운기를 끌고 갔어야 했느냐 이 말입니다. 그것도 고장 난 경운기를. …… 이장님은 왜 경운기를 안 타고 가고 트럭을 타고 가셨나요. 이장님부터 솔선수범을 해야지 다른 동민들이 따라 할 텐데, 지금 거꾸로 되었잖습니까." ……

"……군청까지 경운기를 타고 갈 수나 있던가. 국도에 차들이 미치꽤이맨구로 쌩쌩 달리는데 받히만 우애라고. 다른 동네서는 자가용으로 간 사람도 쌨어."

"그러니까 국도를 갈 때는 여러 사람이 한꺼번에 경운기를 여러 대 끌고 가자는 거였잖습니까. 시위도 하고 의지도 보여 준다면서요. 허허. 나 참." …… 그렇지만 누구도 적극적으로 황만근을 찾아 나서려 하지 않았다.……

황만근은 …… 남이 꺼리는 일에는 누구보다 앞장을 섰고 동네 사람들도 서슴없이 그에게 그런 동네의 일, 남의 일, 궂은일에는 언제 일을 맡겼다. 똥구덩이를 파고 우리를 짓고 벽돌을 찍는 일 또한 황만근이 동네 사람 누구보다 많이 했다. 마을 길 풀 깎기, 도랑 청소, 공동 우물 청소 나 그가 있었다. 그런 일에 대한 대가는 없거나(동네 일인 경우), 반값이거나(다른 사람의 농사일을 하는 경우), 제값이면(경운기와 함께 하는 경우) 공치사가 따랐다.

그러던 어느 날, '농가 부채 해결을 위한 전국 농민 총궐기 대회'가 열린다고 이장이 방송을 해서 저녁에 마을 회관에 사람들이 모였다. …… 마을 회관 밖, 어둠 속에서 오줌을 누던 민 씨는 우연히 이장이 황만근을 붙들고 무슨 이야기를 하는 걸 보게 되었다.

"내 이러키까지 말을 해도 소양('소용'의 방언)이 없어. 보나 마나 내일, 융자 받아서 다방이나 댕기면서 학수겉이 겉농사 짓는 놈들이나 및 올까. 만그이 자네겉이 똑 부러지기 농사짓는 사람은 하나도 안 올 끼라. 자네가 앞장을 서야 되네. 자네 경운기 겉은 헌 경운기에다 농사짓는 놈 다 직이라고 써 붙이 달고 가야 될 게……"

민 씨가 헛기침을 하자 이장의 이야기는 거기서 끝났다.

전날 밤, 분명 꿈은 아니었다. 민 씨는 황만근의 말을 이렇게 들었다.

"농사꾼은 빚을 지마 안 된다 카이. …… 내가 왜 안 졌니야고, 아무도 나한테 빚 준다고 안 캐. 바보라고 아무도 보증서라는 이야기도 안 했다. 나는 내 짓고 싶은 대로 농사지민서 안 망하고 백 년을 살끼라."

일주일 뒤에 황만근은 돌아왔다. 그의 아들이 그를 안고 돌아왔다. 한 항아리밖에 안 되는 그의 뼈를 담고 돌아왔다.

1. 제시문 (가)의 필자의 관점에서 제시문 (나)의 주장을 반박하시오. (400~500자, 제시된 작성 분량 미 준수 시 감점 처리됨)

2. 제시문 (다)의 황만근, 민 씨, 이장, 동네 사람들의 행동을 제시문 (가)와 (나)를 논거로 활용하여 각각 분석하고 이장과 동네 사람들의 행동을 비판하시오. (800~900자, 제시된 작성 분량 미 준수 시 감점 처리됨)

세종대학교
SEJONG UNIVERSITY

계 열	지 원 학 과
인 문 계 열	

성 명

【1번】 답안　　　　(반드시 해당 문제와 일치하여야 함)

이 줄 아래에 답안을 작성하거나 낙서할 경우 판독이 불가능하여 채점 불가

【2번】 답안　　　(반드시 해당 문제와 일치하여야 함)

													40
													80
													120
													160
													200
													240
													280
													320
													360
													400
													440

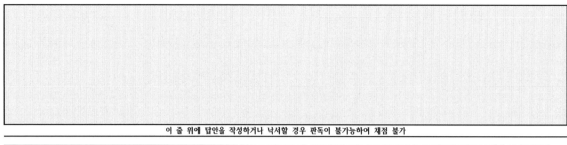

480

520

560

600

640

680

720

760

800

840

880

920

5. 2022학년도 세종대 수시 논술 (A형)

(가) 테오야, 네 생일에 건강과 마음의 평화를 얻기를 바라며 따뜻한 소망을 빌어 본다. 이날에 맞추어 〈감자 먹는 사람들〉이라는 유화를 보내고 싶었지만, 잘 그리긴 했어도 마무리 짓지는 못했어.

기억을 되살려 그린 이 그림을 가능한 한 빨리 끝내긴 하겠지만, 겨우내 머리와 손 부분을 그려야 했거든.

요 며칠 끔찍하고 치열한 싸움을 벌였단다. 마무리하지 못할까 봐 두려울 때도 있었지만, 유화 또한 '행하고 창조하는 것' 아니겠어? ……

요점은 이거야. 나는 등불 아래 감자를 먹는 이 사람들이 접시로 들이미는 바로 그 손으로 땅을 팠다는 사실을 캔버스에 옮겨 보려 애쓴 거야. 그렇게 육체노동으로 정직하게 양식을 얻었음을 말하고 싶었어. 우리네 교양 있는 사람들과 전혀 다른 삶을 그림에 담고 싶었지. 이유는 모르더라도 사람들이 그런 삶에 감탄하고 인정하기를 바란다.

농촌 생활을 관례에 따라 곱게 다듬어 그린다면 잘못일 거야. 시골을 그린 그림에서 베이컨과 연기, 감자 삶는 김 등의 냄새가 나야 좋지. 불결한 게 아니거든. 외양간에서 거름 냄새가 진동한다고 해서 이상할 것도 없어. 밭에서는 밀이 익어 가거나 감자나 퇴비, 거름 냄새가 나는데, 이건 도시민들에게도 유익할뿐더러 도움이 된다고 할 수 있지. 그렇지만 농촌 생활을 그린 그림이 향수 냄새를 풍기면 되겠어?

농촌 생활을 그린다는 것은 만만치 않아. 또 예술과 삶을 진지하게 생각하는 사람들에게 진지한 반성을 불러일으키는 그림을 그리려 애쓰지 않았다면, 한 인간으로서 자신을 비판해야겠지. 밀레, 드 그루 등 많은 이들이 "더럽고, 천하고, 쓰레기 같고, 악취가 난다." 라는 혹평에 흔들리지 않은 모범적인 모습을 보여 주었잖니. 흔들리는 사람이 된다면 수치스럽겠지.……

이 그림에 너무 몰두하다 보니 이사하는 것을 거의 잊었어. 이것도 신경을 써야 하는데 말이야. 걱정이 적지 않지만, 이 분야의 화가들은 신경 쓸 일이 너무 많아서 그들보다 내가 조금이라도 안락한 생활을 할 수 있기를 바라지도 않아. 그런데도 그들이 그림을 그려 나가고 있으니, 나 또한 물질적 어려움에 주춤하기도 하겠지만, 그것에 무너져 파묻혀 있을 수는 없을 거야.

(나) 창의력이 솟아나도록 이끄는 시작점에 필요한 것은 무엇일까? 나는 그것이 호기심이라고 생각한다. 호기심은 창의력을 키우는 데 필요한 가장 중요한 요소이다.

이 세상 모든 어린아이의 눈은 반짝거린다. 모든 것이 새롭고 신기하기 때문이다. 어린아이들이 끊임없이 "왜?" 라는 질문을 하는 까닭도 이 때문이다. 아이들은 아주 당연한 것을 묻기도 하는데 나는 그러한 질문들이 무척 재미있다. 이런 질문을 통해 당연해 보이는 전제 조건을 한 번씩 의심해 볼 수 있기 때문이다.

하루는 아들이 내게 이렇게 물었다.

"아빠, 저녁 시간이 되면 왜 어두워져?"

"해가 지기 때문이야."

"그럼 해는 왜 져?"

나는 그 말을 듣고 아들에게 자기가 좋아하는 큰 공을 가져오라고 한 뒤, 그 공 위에 스마트폰을 테이프로 붙이고, 책상의 전등불을 켠 후 그 앞에서 공을 돌려 가며 공 위의 스마트폰으로 동영상을 촬영했다. 그다음 아이에게 마치 해가 뜨고 지는 것처럼 보이는 전등의 움직임이 찍힌 그 영상을 보여 주면서, 지구가 둥글다는 점, 지구가 자전하면 해가 뜨고 지는 까닭 등을 설명해 주었다. 간단한 실험을 통해 아이가 어려운 개념을 이해할 수 있도록 쉽게 설명해 준 것이다.

호기심은 자꾸 새로운 것을 접할 때 생겨나기 마련이다. 어린아이의 눈으로 호기심을 잃지 말고 세상을 바라보자.

(다) 인공지능은 컴퓨터 프로그램을 활용해 인간과 비슷한 인지적 능력을 구현한 기술을 말한다. 인공지능은 기본적으로 보고 듣고 읽고 말하는 능력을 갖춤으로써 인간과 대화할 수 있을 뿐만 아니라 지적 판단이 필요한 상황에서 합리적 결정을 내릴 수 있다.

인공지능이 인간의 말을 알아듣고 명령을 실행하는 똑똑한 기계가 되는 것은 반길 일인가, 아니면 주인과 노예의 관계를 역전시키는 재앙이라고 경계해야 할 일인가? 인간의 지적 능력을 뛰어넘는 인공지능 개발에 관한 보도가 잇따르는 가운데, 세계적 석학들이 인공지능 개발이 결국엔 인류의 종말로 이어질 것이라는 경고를 내놓기 시작했다. 세계적 물리학자 스티븐 호킹 (Stephen Hawking)은 **"인공지능은 결국 의식을 갖게 되어 인간의 자리를 대체할 것"** 이라며, "생물학적 진화 속도보다 과학 기술의 진보가 더 빠르기 때문" 이라고 말했다.……

인공지능 발달이 우리에게 던지는 새로운 과제는 …… 생각하는 기계가 모방할 수 없는 인간의 특징을 찾아 인간의 가치를 높이는 것이다. 즉, 로봇이 아니라 인간을 깊이 생각하고 인간 고유의 특징을 활용하는 것이다. 인공지능이 마침내 인간의 의식 현상을 구현해 낸다고 하더라도 인간과 인공지능은 여전히 구분될 것이다. 인간에게는 감정과 의지가 있기 때문이다.

감정은 비이성적이고 비효율적이지만 인간됨을 규정하는 본능으로, 감정에 따라 판단하고 의지적으로 행동하는 인간에게 감정은 강점이면서 동시에 결함이 된다. 논리적으로 설명할 수 없는 인간의 행동은 대부분 감정과 의지에서 비롯한 것이다. 인류는 진화의 세월을 거쳐 공감과 두려움, 만족 등 다양한 감정을 발달시켜 왔다. 인간의 감정과 의지는 수백만 년의 진화 과정에서 인류가 살아남으려고 선택한 전략의 결과이다.

> 인공지능 시대에 인간을 인간답게 만드는 것은 무엇보다 결핍과 그에 따른 고통이다. 인류의 역사와 문명은 이러한 결핍과 고통에서 느낀 감정을 동력으로 발달해 온 고유의 생존 시스템이다. …… 결핍과 고통을 벗어나는 과정에서 인류가 체득한 생존의 방법이 유연성과 창의성이다. …… 우리는 기계를 설계할 때 부정확한 인식과 판단, 감정에서 비롯한 변덕스럽고 비합리적인 행동, 망각과 고통 같은 인간의 약점을 기계에 부여하지 않는다. 인간은 우리가 기계에 부여하지 않을. 이러한 부족함과 결핍을 지닌 존재이다. 하지만 거기에 인공지능 시대 우리가 가야 할 사람의 길이 있다.

1. 제시문 (가)는 빈센트 반 고흐가 동생 테오에게 자신의 그림 <감자 먹는 사람들>에 대해 설명한 편지글이다. 제시문 (가)에 나타난 빈센트 반 고흐의 예술관을 요약하시오. (400~500자, 제시된 작성 분량 미 준수 시 감점 처리됨.)

2. 제시문 (다)의 "인공지능은 결국 의식을 갖게 되어 인간의 자리를 대체할 것"이라는 스티븐 호킹(Stephen Hawking)의 주장을 제시문 (가)와 (나)를 모두 활용하여 반박하시오. (800~900 자, 제시된 작성 분량 미 준수 시 감점 처리됨.)

세종대학교
SEJONG UNIVERSITY

계 열	지 원 학 과
인 문 계 열	

성   명

수 험 번 호

생년월일(예:041123)

유 의 사 항

1. 답안지는 **흑색 볼펜**으로 원고지 사용법에 따라 작성하여야 합니다. (수정액 및 수정테이프 사용 금지)

2. 수험번호와 생년월일을 숫자로 쓰고 컴퓨터용 사인펜으로 ● 표기하여야 합니다.

3. **답안의 작성영역**을 벗어나지 않도록 각별히 유의 바라며, 인적사항 및 답안과 관계없는 표기를 하는 경우 **결격처리** 될 수 있습니다.

※ 감독관 확인란

【1번】답안   (반드시 해당 문제와 일치하여야 함)

														40
														80
														120
														160
														200
														240
														280
														320
														360
														400
														440
														480
														520

이 줄 아래에 답안을 작성하거나 낙서할 경우 판독이 불가능하여 채점 불가

【2번】답안　　　(반드시 해당 문제와 일치하여야 함)

														40
														80
														120
														160
														200
														240
														280
														320
														360
														400
														440

이 줄 위에 답안을 작성하거나 낙서할 경우 판독이 불가능하여 채점 불가

480

520

560

600

640

680

720

760

800

840

880

920

6. 2022학년도 세종대 수시 논술 (B형)

(가) 패러다임은 미국의 과학 사학자 겸 과학 철학자 토마스 쿤이 그의 명저 『과학 혁명의 구조』(1962)에서 제창한 개념으로, 과학자들이 세상을 바라보고, 조작하고, 이해하는 틀입니다. 서로 다른 패러다임을 가진 사람들은 서로 다른 세상을 사는 사람들과 같습니다. 패러다임이 다른 사람들은 같은 것을 보고도 다른 식으로 해석합니다. 전근대인에게는 우주가 영적이고 신비로운 유기체지만, 근대인에게 우주는 복잡한 기계에 가깝습니다.

일단 과학자 사회가 하나의 패러다임을 받아들이면, 그 패러다임은 어떤 문제가 의미 있는 과학적 문제인지, 문제를 어떻게 풀어야 하는지, 여러 답안 가운데 어떤 답이 더 훌륭한 답인지에 대한 기준과 지침을 제공해 줍니다. 쿤은 하나의 패러다임이 지배하는 과학을 '정상 과학'이라고 불렀습니다. 그렇지만 패러다임으로 설명되지 않는 변칙적인 문제들이 연이어 등장하면 정상 과학은 위기 국면으로 진입하게 되고, 새로운 패러다임이 등장해서 기존 패러다임을 대체하는 '과학 혁명'이 뒤따릅니다. ……

쿤은 정상 과학 시기에는 패러다임이 복수로 존재하는 것이 거의 불가능에 가깝다고 주장했습니다. 패러다임의 공존이나 경쟁은 과학 혁명기에나 가능하다는 것입니다. **과학은 이렇게 '전쟁과 평화'를 반복하면서 발전합니다.**……

쿤에 의하면 과거의 패러다임에서 성공을 맛봤던 과학자들은 새로운 패러다임이 등장한 때에도 과거의 패러다임을 고수합니다. 이들에게 새로운 패러다임은 과거의 패러다임보다 단순하고 조야하기까지 합니다.…… 과학과 마찬가지로, 기술의 영역에서도 과거의 기술은 새로운 기술로 계속해서 대체됩니다. 그리고 과거의 기술에 집착하던 기업들은 신기술로 부상하는 신생 기업으로 대체됩니다. 과학에서의 패러다임 전환이 과학의 발전을 낳듯이, 기술 혁신에서의 이런 변화 역시 거스르기 힘든 역사의 발전 과정입니다.

(나) 사람들은 다양한 경제적 욕망을 가지고 있다. 경제적 욕망은 재화나 서비스를 사용하여 충족할 수 있으며, 욕망이 충족될 때 사람들은 즐겁고 행복하다. 친구에게 연락하고 싶을 때에는 휴대 전화가 있어야 한다. 그래야 친구에게 연락하고 싶은 욕망을 충족할 수 있다. 사람들은 육체의 생존과 생활의 편리함. 나아가 행복을 위해 여러 가지 재화와 서비스를 사용한다. 재화와 서비스를 사용하는 것을 소비라고 하는데, 소비를 위해서는 재화와 서비스가 누군가에 의해 생산되고 교환되어야 한다. 사람들은 욕망을 충족하기 위해 재화와 서비스를 생산하고, 교환하고, 소비하는 경제생활을 한다. 경제생활의 궁극적 목적은 소비에 있다. 재화와 서비스의 생산과 교환도 결국은 소비를 위한 과정이다.……

경제생활은 매우 중요하다. 재화와 서비스를 생산하고, 소득을 얻고, 소비하는 경제생활이 없으면 인간은 생존할 수도 없고, 생활의 만족과 삶의 행복도 누릴 수 없기 때문이다. 또한 경제생활은 인간의 모든 생활의 기초가 된다는 점에서도 중요하다. 원만한 경제생활이 뒷받침되어야 문화생활이나 여가 생활도 향유할 수 있기 때문이다.

(다) 농업 생산력의 증대와 인구 증가를 배경으로 11세기경부터 서유럽 각지에 시장이 열렸다. 시장을 중심으로 교역 활동이 활발해졌으며, 로마 시대의 도시나 교회의 주변, 그리고 교통의 요지에 상인과 수공업자가 모이면서 도시가 형성되었다. 특히 십자군 전쟁의 영향으로 원거리 무역이 활발해지고 상업 거래가 확대되면서 도시는 한층 성장하였다. 베네치아와 제노바 등은 지중해 무역의 거점 도시로서 동방 무역을 통해 번영을 누렸고, 밀라노와 토리노 등에서는 직물업이 발달하였다. 북부 독일의 함부르크와 뤼베크 등은 한자 동맹을 결성하여 발트해와 북해의 무역을 주도하였다.

중세 도시는 처음에는 영주의 지배를 받았으나, 점차 영주와 타협하여 도시의 독립성과 자율성을 인정받았다. 일정 금액을 지급하고 특허장을 얻거나 혹은 무력으로 자치권을 획득하기도 하였다. 도시에 거주하는 시민들은 신분상 자유를 누렸고, 독자적인 법을 제정하고 도시 행정을 자치적으로 운영하였다.

(라) 우리나라 사람들은 번화한 중국 시장을 처음 보고서는 "오로지 말단의 이익만을 숭상한다."라고 말한다. 이것은 하나만 알고 둘은 모르는 말이다. 무릇 상인은 사농공상(士農工商) 네 부류 백성의 하나이지만 그 하나가 나머지 세 부류 백성을 소통시키므로 열에 셋의 비중을 차지하지 않으면 안 된다.

지금 쌀밥을 먹고 비단옷을 입고 있다면 그 나머지는 모조리 쓸모없는 물건으로 간주할 수 있다. 그러나 쓸모없는 물건을 활용하여 쓸모 있는 물건을 유통하고 거래하지 않는다면, 이른바 쓸모 있다는 물건은 대부분 한곳에 묶여서 유통되지 않거나 그것만이 홀로 쓰여서 고갈되기 쉽다.……

지금 우리나라는 지방이 수천 리라서 인구가 적지 않고 갖추어지지 않은 물산(物産)이 없다. 그럼에도 불구하고 산과 물에서 얻어지는 이로운 물건을 전부 세상에 내놓지 못하고, 경제를 윤택하게 하는 도(道)를 제대로 갖추지 않았다. …… 그러고서 중국의 주택, 수레와 말, 색채와 비단이 화려한 것을 보고서는 대뜸 "사치가 너무 심하다."라고 말해 버린다. 중국이 사치로 망한다고 할 것 같으면 우리나라는 반드시 검소함 탓에 쇠퇴할 것이다.

왜 그러한가? 물건이 있음에도 불구하고 쓰지 않는 것을 검소함이라고 일컫지 자기에게 물건이 없어 쓰지 못하는 것을 검소함이라고 일컫지는 않는다. 우리 풍속이 정녕 검소함을 좋아하여 그렇겠는가? 단지 재물을 사용할 방법을 모르는 것에 불과하다. 재물을 사용할 방법을 모르기에 재물을 만들어 낼 방법을 모르고, 재물을 만들어 낼 방법을 모르기에 백성들의 생활은 날이 갈수록 궁핍해 간다.

재물은 비유하자면 우물이다. 우물에서 물을 퍼내면 물이 가득 차지만 길어내지 않으면 물이 말라 버린다. 마찬가지로 비단옷을 입지 않으므로 나라에는 비단을 짜는 사람이 없고, 그 결과로 베를 짜는 여인의 모습을 볼 수 없게 되었다. 조잡한 그릇을 트집 잡지 않고 물건을 만드는 기교를 숭상하지 않기에 나라에는 공장(工匠)과 도공, 풀무장이가 할 일이 사라졌고, 그 결과 기술이 사라졌다. 나아가 농업은 황폐해져 농사짓는 방법이 형편없고, 상업을 박대하므로 상업 자체가 실종되었다. 사농공상 네 부류의 백성이 너 나 할 것 없이 다 곤궁하게 살기에 서로를 구제할 길이 없다.……

지금 종각(鐘閣)이 있는 종로 네거리는 연달아 있는 시장 점포의 거리가 1리가 채 안 된다. 중국에서는 내가 거쳐 간 시골 마을의 점포가 대개 몇 리에 걸쳐 있었다. 또 거기에 운송되는 물건의 번성함과 품목의 다양함이 모두 온 나라의 물건으로도 미치지 못한다. 점포 한 개가 우리나라보다 더 부유한 것이 아니라 물자가 유통되느냐 유통되지 못하느냐에 따른 결과이다.

1. 제시문 (가)의 밑줄 친 "과학은 이렇게 '전쟁과 평화'를 반복하면서 발전합니다."에 대해 설명하시오.(400~500자, 제시된 작성 분량 미 준수 시 감점 처리됨.)

2. 제시문 (가)의 '패러다임 전환'이라는 관점에서 제시문 (라)의 주장을 요약하고 이 주장을 제시문 (나)와 (다)를 모두 활용하여 옹호하시오.(800~900자, 제시된 작성 분량 미 준수 시 감점 처리됨.)

세종대학교
SEJONG UNIVERSITY

계 열	지 원 학 과
인 문 계 열	

성 명

수 험 번 호 **생년월일(예:041123)**

유 의 사 항

1. 답안지는 **흑색 볼펜**으로 원고지 사용법에 따라 작성하여야 합니다. (수정액 및 수정테이프 사용 금지)

2. 수험번호와 생년월일을 숫자로 쓰고 컴퓨터용 사인펜으로 ● 표기하여야 합니다.

3. **답안의 작성영역**을 벗어나지 않도록 각별히 유의 바라며, 인적사항 및 답안과 관계없는 표기를 하는 경우 **결격처리** 될 수 있습니다.

※ 감독관 확인란

【1번】 답안   (반드시 해당 문제와 일치하여야 함)

40
80
120
160
200
240
280
320
360
400
440
480
520

이 줄 아래에 답안을 작성하거나 낙서할 경우 판독이 불가능하여 채점 불가

【2번】답안 (반드시 해당 문제와 일치하여야 함)

이 줄 위에 답안을 작성하거나 낙서할 경우 판독이 불가능하여 채점 불가

480

520

560

600

640

680

720

760

800

840

880

920

7. 2022학년도 세종대 모의 논술

(가) 나는 집이 가난해서 말이 없기 때문에 간혹 남의 말을 빌려서 타곤 한다. 그런데 노둔하고 야윈 말을 얻었을 경우는 일이 아무리 급해도 감히 채찍을 대지 못한 채 금방이라도 쓰러지고 넘어질 것처럼 전전긍긍하기 일쑤요, 개천이나 도랑이라도 만나면 또 말에서 내리곤 한다. 그래서 후회하는 일이 거의 없다. 반면에 발굽이 높고 귀가 쫑긋하며 잘 달리는 준마를 얻었을 경우는 의기양양하여 방자하게 채찍을 갈기기도 하고 고삐를 놓기도 하면서 언덕과 골짜기를 모두 평지로 간주한 채 매우 유쾌하게 질주하곤 한다. 그러나 간혹 위험하게 말에서 떨어지는 환란을 면하지 못한다.

아, 사람의 감정이라는 것이 어쩌면 이렇게까지 달라지고 뒤바뀔 수가 있단 말인가. 남의 물건을 빌려서 잠깐 동안 쓸 때에도 오히려 이와 같은데, 하물며 진짜로 자기가 가지고 있는 경우야 더 말해 무엇하겠는가.

그렇긴 하지만 사람이 가지고 있는 것 가운데 남에게 빌리지 않은 것이 또 뭐가 있다고 하겠는가. 임금은 백성으로부터 힘을 빌려서 존귀하고 부유하게 되는 것이요, 신하는 임금으로부터 권세를 빌려서 총애를 받고 귀한 신분이 되는 것이다. 그리고 자식은 어버이에게서 지어미는 지아비에게서, 비복(婢僕)은 주인에게서 각각 빌리는 것이 또한 심하고도 많은데, 대부분 자기가 본래 가지고 있는 것처럼 여기기만 할 뿐 끝내 돌이켜 보려고 하지 않는다. 이 어찌 미혹된 일이 아니겠는가.

그러다가 혹 잠깐 사이에 그동안 빌렸던 것을 돌려주는 일이 생기게 되면, 만방(萬邦)의 임금도 독부(獨夫)가 되고 백승(百乘)의 대부(大夫)도 고신(孤臣)이 되는 법인데, 더군다나 미천한 자의 경우야 더 말해 무엇하겠는가. 맹자(孟子)가 말하기를 "오래도록 빌리고서 반환하지 않았으니, 그들이 자기의 소유가 아니라는 것을 어떻게 알았겠는가." 라고 하였다. 내가 이 말을 접하고서 느껴지는 바가 있기에, 차마 설을 지어서 그 뜻을 부연해 보았다.

(나) 내가 "폐하, 서로 다른 많은 종교가 어떻게 평화롭게 공존할 수 있습니까?" 라고 묻자, 오스만 제국의 황제 술레이만 1세는 "그것이 바로 내 제국이 크게 성공할 수 있는 비결 아니겠는가. 우리는 그대들과 달리 똘똘 뭉쳐 있지. 내가 모든 권력을 통제할 수 있으니 분열 같은 것은 아예 생각조차 할 수 없어. 대사! 대사는 나를 도와 우리 위대한 제국을 세우고 경영하는 사람들이 모두 노예 출신이라는 사실을 아오? 내가 알기로는 당신네 나라에서는 노예를 아주 부끄럽고 치욕스런 신분으로 생각한다. 하지만 우리는 그렇지 않지. 사람의 운명을 결정하는 것은 출신과 신분이 아니고 바로 능력이라오. …… 그 능력이라는 게. 오직 끝없는 훈련과 노력만으로 얻을 수 있는 게 아니겠소?"라고 답하였다. -뷰즈벡, 『터키에서의 편지』-
(중략) 오스만 제국의 술탄 술레이만 1세 때 합스부르크 왕국 대사로 오스만 제국에 파견된 뷰즈벡이 남긴 글이다. 오스만 제국은 아시아, 유럽, 아프리카의 세 대륙

에 걸친 광대한 영역을 통치하였다. 이를 위해 다양한 종교와 풍습을 가진 여러 민족에게 관용적인 정책을 펼쳤으며, 출신·종교와 관계없이 능력에 따른 기회를 제공하여 널리 인재를 등용함으로써 제국을 효율적으로 통치하고자 하였다.

(다) 앞부분의 줄거리: 이도는 집현전을 세우고, 집현전 학자들과 더불어 비밀리에 새로운 글자를 만들고자 한다. (중략) 조정의 신하들과 사대부들은 이도가 새로이 글자를 만들어 반포하려 한다는 것을 알게 되고 이를 반대하는 시위를 벌인다.

제16회 S# 13 광화문 앞(낮)

혜강이 맨 앞에 엎드려 있고 유생들은 뒤에 엎드려 "전하! 문자는 아니되옵니다!" 하며 시위하고 있다. (중략) 컷. 괘도엔 '作開言路 達四聰 (작개언로 달사총)'이라 써 있고, 앞엔 이도가 서 있다.

이도 작개언로 달사총. 즉 언로를 틔워 사방 만민의 소리를 들으라. 이것은 유학에서 임금에게 가장 강조하는 덕목이오. (중략) 요순 3대에는 간관이라는 관리가 없었음에도 언로가 넓었으나 진나라 때 모든 비방을 금지한 뒤 한나라 때 이르러서는 언로를 틔우려 간관을 만들었으나 그 간관이라는 관리가 생긴 후부터는 언로가 더욱 막히었다. 이런 말이 있지요?

혜강 ……

이도 이는 말이오. 한자를 아는 자가 관료가 된 시기와 정확히 맞아 떨어지오. (점점 큰 목소리로) 한자가 어렵기에. 백성들은 그들의 말을 임금께 올리려면 관료를 거칠 수밖에 없었고! 그 관료들은 백성들의 소리를 왜곡하고 편집했던 것이오! 하여 삼봉은 "언로가 더욱 막히었다." 이리 쓴 것이오! 하여 과인은 '작개언로', 언로를 넓히려, '달사총', 백성의 소리를 들으려면 백성에게 글자가 필요하다 판단하였소. (중략)

제17회 S# 15 폐사찰 내 방(낮)

(중략)

정기준 모두가 불가능하다고 생각하는 망상을 실현시키는 글자다.

이신적 그리 대단한 글자입니까? 어떤 글자기에요? 보여 주시지요.

정기준 (고개를 가로저으며) 이 글자는 어느 누구도 알아서는 안 된다.

한가 놈 (무슨 의미인지 아는 듯 쳐다본다.)

정기준 누구든 안다면 역병처럼 번질 수 있는 글자야.

심종수 (더욱 궁금하고 의아해한다.)

이신적 (큰 한숨을 쉬며) 아, 예. 좋습니다. 모든 백성들이 다 글자를 안다고 합시다. 그런다고 그들이 관료가 됩니까?

심종수 (이번엔 이신적을 쳐다본다.)

이신적 성리학의 나라요. 사대부의 나라인 이 조선에서 한자도 아닌 그 글자를 조금 안다고 국정을 운영할 수 있느냐는 말입니다!

정기준	이 글자를 배운 자는 한자를 멀리하게 되고, 한자를 멀리하게 되면 성리학을 멀리하게 될 것이다. 허면, 당장은 아닐지라도 몇백 년 뒤에는 모르는 일이지. 한자도, 성리학도, 삼강도, 오륜도 모르는 것들이 관료가 되는 세상이 올지도 모른다. 뿐인가? 글을 알게 되면 자연히 읽는 즐거움을 알게 되고, 읽는 즐거움을 알게 되면 깨이게 되고, 깨이게 되면 글을 쓰는 즐거움을 알게 된다.
이신적	(답답해하며) 본원, 대체!
정기준	(강조하며) 또한! 인간은 쓰는 즐거움을 알게 되면 세상을 향해 자신을 드러내고 싶어 하는 것이지. 그렇게 권력이 움직이는 것이다. 모르겠는가!
심종수·한가 놈	(놀라서 보는데)
정기준	이도는 지금 모든 백성들에게 권력을 넘기는 것이야! 이도는 지금 그런 무책임한 짓을 하려는 것이란 말이다! 이도가 백성을 사랑한다고? 웃기지 말라고 해. 왕과 관료들이 잘못을 하면 책임을 진다. 백성이 잘못하면 어찌할 것이냐? 백성에게 책임이 있다하여 그들을 모두 갈아치울 것이냔 말이다. (중략) 모든 사람이 글을 쓰는 세상이 오면 사대부는 권력을 잃어. 사대부가 권력을 잃으면 성리학이 조선을 이끌지 못한다는 것이고, 성리학이 조선을 이끌지 못한다는 것은 조선이 망한다는 것이다.

1. 제시문 (가)의 내용을 요약하시오. (400~500자, 제시된 작성 분량 미 준수 시 감점 처리됨)

2. 제시문 (다)의 이도가 새로운 글자를 만들고자 하는 의도를 요약하고, 제시문 (가)와 (나)를 모두 논거로 활용하여 제시문 (다)의 정기준을 비판하시오. (800~900자, 제시된 작성 분량 미 준수 시 감점 처리됨)

계 열	지 원 학 과
인 문 계 열	

성 명

수 험 번 호

생년월일(예:041123)

유 의 사 항

1. 답안지는 **흑색 볼펜**으로 원고지 사용법에 따라 작성하여야 합니다. (수정액 및 수정테이프 사용 금지)

2. 수험번호와 생년월일을 숫자로 쓰고 컴퓨터용 사인펜으로 ● 표기하여야 합니다.

3. **답안의 작성영역**을 벗어나지 않도록 각별히 유의 바라며, 인적사항 및 답안과 관계없는 표기를 하는 경우 **결격처리** 될 수 있습니다.

※ 감독관 확인란

【1번】 답안

(반드시 해당 문제와 일치하여야 함)

이 줄 아래에 답안을 작성하거나 낙서할 경우 판독이 불가능하여 채점 불가

【2번】답안　　　　(반드시 해당 문제와 일치하여야 함)

40

80

120

160

200

240

280

320

360

400

440

480

520

560

600

640

680

720

760

800

840

880

920

8. 2021학년도 세종대 수시 논술 (A형)

(가) 외부 효과란 누군가의 행동이 타인에게 이익이나 손실을 발생시키는 것을 말한다. 외부 효과가 타인에게 이익을 주면 외부 경제(긍정적 외부 효과), 반대로 손실을 끼치면 외부 불경제(부정적 외부 효과)가 된다. 예컨대 꽃집에서 화사한 화분을 진열해 놓은 모습을 보면 기분이 좋아지지만, 낡은 트럭에서 내뿜는 시커먼 매연은 불편을 초래한다. 꽃집은 타인에게 외부 경제를, 매연을 내뿜는 트럭은 외부 불경제를 제공한 것이다.

누이 좋고 매부 좋은 외부 경제는 권장할 일이다. 그러나 본인에게는 좋지만 타인에게는 해를 끼치는 외부 불경제는 심각한 갈등과 비용을 유발하기에 늘 사회적 관심사가 된다. 부정적 외부 효과를 유발하는 대표적인 사례가 공해와 환경 문제이다. 술, 담배, 비만 유발 식품 등도 마찬가지이다. 이러한 것들은 즐기는 자신은 좋을지 몰라도, 과할 경우 갈등을 유발하고 사회적 비용을 낳는다.

따라서 외부불경제를 법으로 규제하거나 수혜자(受惠者)에게 비용(세금)을 물려 수요를 줄이는 정책이 널리 이용되고 있다. 이렇게 부정적 외부 효과를 시정(是正)하기 위해 고안된 세금을 '피구세'라고 부른다. 피구세는 첫 제안자인 영국의 경제학자 아서 피구 (1877~1959)의 이름을 딴 것으로, 외부 불경제를 유발한 당사자에게 세금을 물림으로써 외부 효과를 내부화, 즉 본인 부담이 되게끔 만드는 것이다. 환경세(환경 부담금), 교통세 (교통 부담금) 등이 피구세의 범주(範疇)에 속한다.

피구세 중에서도 국민 건강과 복지에 나쁜 영향을 끼치는 특정 품목의 소비를 억제하기 위해 물리는 세금을 죄악세라고 부른다. 일부 국가에서 논의되었던 설탕세 (당 함유 제품에 부과하는 세금), 소다세(탄산음료에 물리는 세금) 등이 이에 해당한다. 설탕, 탄산음료 등과 같은 식품은 본인의 건강을 해치는 것은 물론 사회적으로도 의료 수요 증가, 건강 보험 재정 악화 등의 부정적 외부효과를 유발하므로 이를 억제하고자 세금을 부과하는 것이다.

외부 불경제는 시장에서 자율적으로 해결되지 않는 경우가 많기 때문에 정부의 적절한 개입(介入)이 불가피하다. 하지만 세금 제도는 취지(趣旨)가 좋다고 쉽게 정착되는 것이 아니며, 정부가 **선한 의도로 개입**한다고 해서 늘 좋은 결과가 나오는 것도 아니다. 외부 효과를 근거로 정부가 개인의 선택에 어디까지 개입할 수 있는지는 논쟁거리이다.

(나) 전체 인류 가운데 단 한 사람이 다른 생각을 가지고 있다고 해서, 그 사람에게 침묵을 강요하는 일은 옳지 못하다. 이것은 어떤 한 사람이 자기와 생각이 다르다고 나머지 사람 전부에게 침묵을 강요하는 일만큼이나 용납될 수 없는 것이다. 어떤 의견이 본인에게는 모를까 다른 사람한테는 아무 의미가 없고 따라서 그 억압이 그저 사적으로 한정된 침해일 뿐이라고 할지라도, 그런 억압을 받는 사람이 많고 적음에 따라 이야기는 달라질 수 있다.

그러나 어떤 생각을 억압한다는 것이 심각한 문제가 되는 가장 큰 이유는, 그런 행위가 현세대뿐만 아니라 미래의 인류에게까지. 그 의견에 찬성하는 사람은 물론이고 반대하는 사람에게까지 강도질을 하는 것과 같은 악을 저지르는 셈이 되기 때문이다. 만일 그 의견이 옳다면 그러한 행위는 잘못을 드러내고 진리를 찾을 기회를 박탈하는 것이다. 설령 잘못된 것이라 하더라도 그 의견을 억압하는 것은 틀린 의견과 옳은 의견을 대비시킴으로써 진리를 더 생생하고 명확하게 드러낼 수 있는 대단히 소중한 기회를 놓치는 결과를 낳는다.

이런 이유에서 사람들이 자유롭게 자기 의견을 가지고, 또 그 의견을 자유롭게 표현할 수 있지 않으면 안 된다. 그러나 다른 사람들이 옳지 못한 행동을 하도록 하는 데 직접적인 영향을 끼칠 수 있는 상황이라면, 의견의 자유도 무제한적으로 허용될 수는 없다. 어떤 종류의 행동이든 정당한 이유 없이 다른 사람에게 해를 끼치는 것은 강압적인 통제를 받을 수 있으며, 사안이 심각하다면 반드시 통제해야 한다. 나아가 필요하다면 사회 전체가 적극적으로 간섭해야 한다.

(다) 엇박자 D의 노래는 들어 줄 만했다. 부드러운 느낌도 잘 살아 있었고, 박자도 이상하지 않았다. 음악 선생님은 고개를 갸웃거렸다. 뭔가 이상하긴 한데 어느 부분이 어느 정도로 이상한지. 고치려면 어떻게 해야 하는 것인지, 답을 말해 줄 수가 없었던 것이다.

다시 합창을 시도해 봤지만 결과는 마찬가지였다. 엇박자 D의 목소리만 들리면 아이들은 갈피를 잡지 못했고, 음은 뒤죽박죽이 됐으며 박자는 제멋대로 변했다. 그의 목소리는 전파력이 강한 바이러스였다. 음악 선생님은 엇박자 D에게 자진 사퇴를 권했지만 그는 받아들이지 않았다. 축제 때 합창단에서 노래를 부를 것이라는 광고를 여러 곳에 해 두었다는 것이 이유였다.

"좋아. 대신 넌 절대 소리 내지 마. 그냥 입만 뻥긋뻥긋하는 거야. 알았지?" (...)
(중략 부분의 줄거리) 엇박자 D가 노래를 부른 탓에 합창단의 축제 공연은 엉망이 된다. 이에 음악 선생님은 그 자리에서 합창을 멈추게 하고 그에게 망신을 주었다. 시간이 흐른 후 공연 기획자로 일하고 있던 '나'는 20년 만에 무성 영화 전문가가 된 엇박자 D의 연락을 받게 된다. '나'는 유명 가수인 '더블더빙'의 공연 기획자로 이름을 올려 보고 싶은 욕심에 엇박자 D가 기획하는 '더블더빙과 무성 영화의 만남'이라는 주제의 공연을 함께 준비하게 된다. 엇박자 D의 부탁으로 '나'는 고등학교 시절 합창단을 함께했던 몇몇 친구들을 공연에 초청한다.

(...) 아주 작게 들리던 음악 소리가 조금씩 커졌다. 확성기에서 흘러나온 음악은 관객들 사이로 서서히 스며들었다. 누군가의 노래였다. 아무런 반주도 없이 누군가 노래를 부르고 있었다. 어디선가 들어 본 노래였다. 그제야 노래의 제목이 생각났다. 「오늘 나는 고백을 하고」라는 노래였다. 20년 전 축제 때 우리가 함께 불렀던 바로 그 노래였다. 노래를 부르는 사람이 누군지는 알 수 없었다. 나나 친구들의 목소리는 아니었다. 엇박자 D의 목소리도 아니었다. 한 사람의 목소리가 두 사람의

목소리로 바뀌었다. 두 사람의 목소리가 세 사람의 목소리로 바뀌었고, 네 사람, 다섯 사람의 목소리로 바뀌었다. 합창을 하고 있었다. 하지만 합창이라고 하기에는 서로의 음이 맞질 않았다. 박자도 일치하지 않았다.

"스물 두 명의 음치들이 부르는 20년 전 바로 그 노래야. 내가 제일 좋아하는 음치들의 목소리로만 믹싱한 거니까 즐겁게 감상해 줘."

무선 헤드셋에서 다시 엇박자 D의 목소리가 들렸다. 조명은 하나도 켜지질 않았다. 완전 한 어둠 속에서 노래가 흘러나오고 있었다. 어둠 속이어서 그런 것일까. 노래는 아름다웠다. 서로의 음이 달랐지만 잘못 부르고 있다는 느낌은 들지 않았다. 마치 화음 같았다.

1. 제시문 (가)의 '선한 의도로 개입'의 의미를 기술하고, 이것과 부합되는 내용을 (나)에서 찾아 설명하시오. (250점, 400~500자. 제시된 작성 분량 미 준수 시 감점 처리됨)

2. 제시문 (가)와 (나)를 논거로 활용하여, 제시문 (다)에 등장한 음악 선생님의 행동을 비판하시오. (450점, 800~900자, 제시된 작성 분량 미 준수 시 감점 처리됨)

세종대학교
SEJONG UNIVERSITY

계 열	지 원 학 과
인 문 계 열	

성 명

【1번】답안　　(반드시 해당 문제와 일치하여야 함)

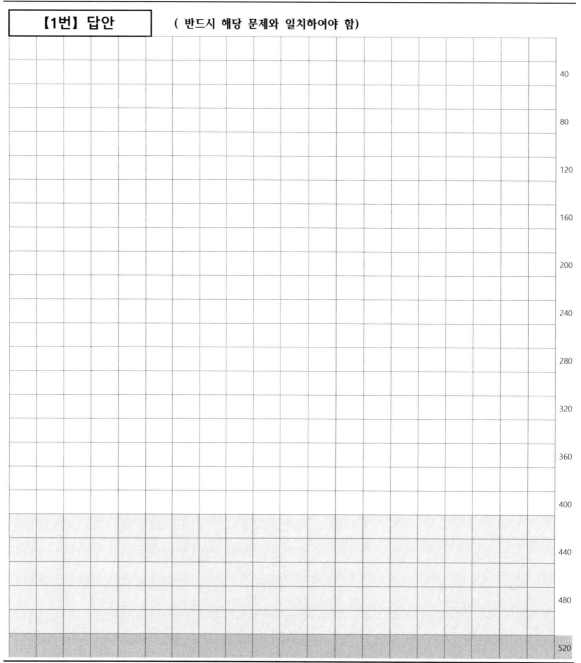

이 줄 아래에 답안을 작성하거나 낙서할 경우 판독이 불가능하여 채점 불가

【2번】답안　　（ 반드시 해당 문제와 일치하여야 함)

40

80

120

160

200

240

280

320

360

400

440

480

520

560

600

640

680

720

760

800

840

880

920

9. 2021학년도 세종대 수시 논술 (B형)

(가) 이집트의 나우크라티스라는 도시에 테우트라는 신이 살고 있었다. 이 신은 인간에게 유용한 여러 가지를 발명했다. 그중에서도 테우트가 가장 위대한 발명품으로 내세운 것은 **문자**였다. 테우트는 으레 하던 대로 당시 이집트를 다스리던 타모스왕에게 가서, 문자가 널리 쓰이게 해 달라고 요청하면서 말했다.

"오. 위대한 왕이여, 이 발명품은 이집트인들이 더 지혜로워지게, 또 더 잘 기억할 수 있게 해줄 것입니다. 이것은 기억과 지혜의 묘약입니다."

그러자 타모스왕이 말했다.

"재주 많은 테우트 신이여. 우리 중의 한쪽은 유용한 발명을 했고 또 한쪽은 그 발명이 인간에게 이익이 될까 손해가 될까를 판단해야 하는 형편에 있습니다. 당신은 문자의 아버지로서 그것을 편애한 나머지 문자 사용이 가져올 결과와는 반대되는 효과를 앞세워 나를 설득하려 하고 있습니다.

당신은 문자가 기억에 도움이 된다고 말하지만, 내가 보기에는 그것을 배우는 사람의 망각을 부추길 뿐입니다. 문자를 배우면, 그것에만 의존하여 기억을 소홀히 하게 되고, 자신의 내적 능력으로 기억을 하려고 하는 것이 아니라 외적인 부호를 통해서만 기억을 하려고 할 것입니다. 그러므로 당신이 발명한 것은 기억의 약이 아니라 회상의 약입니다.

또 당신은 그 발명품이 지혜에 도움이 된다고 말하지만, 그것을 배우는 사람은 지혜의 실재가 아닌 외양을 가지게 될 뿐입니다. 그 발명품 때문에 사람들은 배움이 없이도 여러 가지를 주워듣게 되고, 실제로는 아무것도 모르면서 많이 아는 것처럼 보이게 됩니다. 참으로 지혜 있는 사람이 아니라 오직 스스로 지혜 있다고 생각하는 사람이 되어서, 그들은 가장 곤란한 상대가 될 것입니다."

(나) 백 주사는 흔연히 수작을 하면서 내색은 아니 하나, 어심엔 미스터 방이 괘씸하기 짝이 없었다.

향리의 예법으로, 십 년 장이면 절하고 뵈어야 한다. 무릎 꿇고 앉아야 하고, 말은 깍듯이 공대를 해야 한다. 그 앞에서 주초(酒草)가 당치 않고, 막부득이한 경우면 모로 앉아 잔을 마셔야 한다. 그런 것을, 마치 제 연갑 친구나 타관 나그네게나 하는 것처럼, 백상이니, 술 드슈, 조백이시지 하고 말버릇이 고약해, 발 개키고 앉아서 정면하고 술을 먹어, 담 배 뻐끔뻐끔 피워, 이런 괘씸할 도리가 없었다.

또 나이도 나이려니와, 문별이나 지체를 가지고 논한다면, 이건 도저히 용서할 수 없는 일이었다. (...)

미스터 방의 증조가 타관에서 떠들어온 명색 없는 사람이었다. 그 조부가 고을의 아전을 다녔다. 그 아비가 짚신 장수였다. 칠십에, 고로롱고로롱 아직도 살아 있지만, 시방도 짚신 곱게 삼기로 고을에서 첫째가는 방 첨지가 바로 그였다. 그리고 이 방삼복이는……

먹고 자고 꿍꿍 일하고, 자식새끼 만들고 할 줄밖에는 모르는 상일꾼이었다. 그러나마 삼십을 바라보도록 남의 집 머슴살이로, 이 집 저 집 살고 다니는 코삐뚤이 삼복이었다. 물론 낫 놓고 기역 자도 못 그리는 판무식이었다.

상일꾼일 바엔 남의 세토(稅土) 마지기라도 얻어 제 농사를 짓는 것이 아니라, 삼십을 바라보도록 남의 집 머슴살이만 하고 다니던 코삐뚤이 삼복이가 하루아침 무슨 생각이 났던지, 돈벌이를 간답시고, 조석이 간데없는 부모에게다 처자식 떠맡기고는 훌쩍 일본으로 떠나 버렸다. 그것이 열두 해 전, (...)

서울로 올라와서는 현저동 비탈의 다 찌부러진 행랑방을 얻어 살면서, 처음 일 년은 용산 있는 연합군 포로수용소엘 다니며 입에 풀칠을 하였고 - 이 동안 그는 상해에서 귀로 익힌 **토막** 영어가 조금 더 진보되었고,

다시 일 년이나는, 그것 역시 상해에서 익힌 것을 밑천 삼아, 구두 직공으로 구둣방엘다니며 그럭저럭 살았고. 그러다 일본이 싸움에 지느라고 구두를 너무 해트려 가죽이 동이 나서 구둣방이 너나없이 문을 닫는 바람에, 할 수 없이 이번엔 궤짝한 개 걸머지고 신기료장수로 나서고 말았다. (...)

'흥, 개구리가 올챙이 적을 못 생각한다더니, 발칙한 놈. 고얀 놈.'

백 주사는 생각하자니 속으로 이렇게 분개스럽지 않을 수가 없었다.

그러나 일변으로는, 그러던 코삐뚤이 삼복이가 그야말로 선영이 명당엘 들었단 말인지, 무슨 조화를 지녔단 말인지, 불과 몇 달지간에 이렇게 훌륭히 되고, 부자가 되고, 미씨다 방인지 구리다 방인지가 되고 하여 가지고는 갖은 호강 다하며 천하에 무서울 것이 없고, 기광이 나서 막 이러니. 한편 생각하면 신기하기도 하고 부럽기도 하고 또한 안타깝기도 하였다.

'사람의 운수란 참 모를 일이야.'

백 주사는 속으로 절절히 이렇게 탄복도 아니치 못하였다.

코삐뚤이 삼복의 이 눈부신 발신은, 그러나 백 주사가 희한히 여기는 것처럼 무슨 명당 바람이 났다거나 조화를 지녔다거나 그런 신기한 곡절이 있는 바가 아니요. 지극히 간단하고도 수월한 것이었다. 다못 몸에 지닌 재주 가운데 총기가 좀 좋아서 일찍이 영어 마디나 익힌 것을 잊어버리지 아니하였다는, 일종의 특수 조건이 없던 바는 아니지만

후략 부분의 줄거리▶ 신기료장수를 하던 방삼복은 자신에게 이익이 될 것이 없다는 이유로 해방을 달가워하지 않는다. 그러던 중 미군들이 말이 통하지 않아 답답해하는 것을 보고 통역으로 돈을 벌 수 있겠다는 생각을 한다. 미군 장교인 S 소위에게 접근한 방삼복은 그의 통역이 되면서 미스터 방으로 불리기 시작한다. 이때부터 미스터 방은 S 소위를 등에 업고 부와 권세를 누리게 된다. 해방이 되면서, 친일 행위로 모은 재산을 모두 **빼앗기게** 된 백 주사는 미스터 방에게 자신의 사정을 이야기하고 복수를 부탁한다.

(다) 기술이 일과 직업 그리고 임금에 미치는 영향에 관한 논쟁은 산업 시대의 역사만큼이나 오래되었다. 1810년대 영국 섬유 노동자들은 방직기 도입을 반대하며 시위를 벌였다. 방직기는 산업 혁명 발아기의 기계로 노동자들의 일자리를 위협했기 때문이다. 그때 이후로 기술이 새롭게 진보할 때마다 신기술이 노동을 대규모로 대체할 것을 우려하는 파문이 일었다.

이 논쟁의 한 축에는 신기술이 노동자를 대체할 가능성이 있다고 믿는 사람들이 있다. 마르크스는 프롤레타리아의 자동화를 자본주의의 필연적인 특징으로 설명했다. 1930년 전기와 내연 기관이 도입된 뒤, 케인스는 이러한 혁신이 물질적 번영을 가져오겠지만 동시에 '기술적 실업'을 만연시킬 것으로 예측했다. 1964년 컴퓨터 시대의 여명기에 미국의 과학자와 사회학자들은 존슨 대통령에게 컴퓨터에 의한 자동 제어가 거의 무한한 생산 능력을 가진 시스템을 낳고 인간 노동에 대한 요구는 점차 줄어들 것이라고 경고했다. 최근에는 디지털 기술이 경쟁에서 앞서가면서 많은 노동자를 낙오시킬 것이라는 주장이 많다.

이 논쟁의 다른 한 축에는 노동자들에게는 아무 문제가 없을 것이라고 말하는 사람들이 있다. 이들은 19세기 중반부터 선진국을 중심으로 실질 임금과 일자리 수가 비교적 꾸준히 증가해 왔다는 미국 국립 과학 아카데미 보고서의 내용을 근거로 든다. 이 견해는 주류 경제학 내에서 충분한 동력을 얻었고 기술 발전이 인간 고용을 감소시킬 것이라는 주장은 '노동 총량의 오류'로 무시되었다. 이 주장에 따르면, 일의 양은 무한하게 증가하므로 고정된 '노동 총량'이란 없다. 따라서 기술 발전이 인간의 고용을 감소하게 하리라는 생각은 오류라는 것이다.

1. 제시문 (가)에서 타모스왕의 '*문자*'에 대한 견해와 제시문 (나)에서 백주사의 '*영어*'에 대한 인식을 비교하시오. (250점, 400~500자, 제시된 작성 분량 미 준수 시 감점 처리됨)

2. 제시문 (나)와 제시문 (다)를 근거로 제시문 (가)의 타모스왕을 비판하시오. (450점. 800~900자. 제시된 작성 분량 미 준수 시 감점 처리됨)

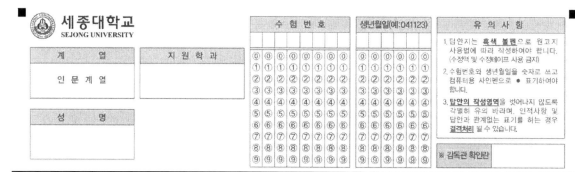
【1번】 답안 (반드시 해당 문제와 일치하여야 함)

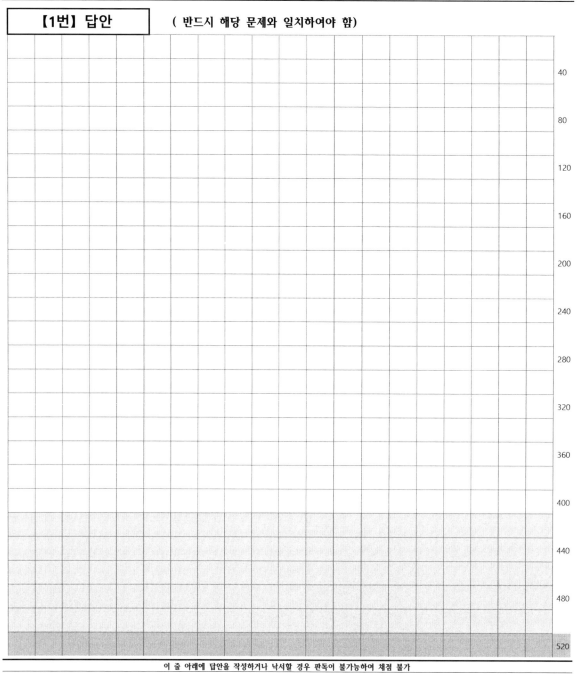

이 줄 아래에 답안을 작성하거나 낙서할 경우 판독이 불가능하여 채점 불가

【2번】답안   (반드시 해당 문제와 일치하여야 함)

480

520

560

600

640

680

720

760

800

840

880

920

10. 2021학년도 세종대 수시 논술 (C형)

(가) 합리성과 법칙성을 중시한 근대의 이성주의는 사회 전반에 걸쳐 큰 성과를 이루었다. 자연 과학과 기술의 발전은 인류의 삶을 크게 향상하였고 산업 혁명은 물질적 풍요를 가져다줄 것이라는 기대를 가능하게 하였다. 그러나 산업 혁명은 빈부의 격차를 크게 확대하였으며, 근대화라는 미명하에 식민지의 착취와 노예 제도에 의한 비인간화가 심화되었다. 과학 기술의 발전으로 인한 무기의 발전과 대규모 전쟁은 인류를 대량 살상이라는 현실에 직면하게 만들었다.

합리적 이성이 인류의 번영을 약속할 것이라는 바람과는 달리 개인의 삶은 처참한 상황에 놓이게 되었고 이성은 우리의 훌륭한 동반자일 수는 있지만 우리 삶에 최우선적인 것이 아니라는 반성이 제기되면서, 주체적 결단과 실존의 문제가 부각되었다.

실존주의의 선구자인 키르케고르(S. Kierkegaard, 1813~1855)는 실존으로서 인간은 항상 선택해야 하는 구체적인 상황에 놓여 있다고 보았다. 이러한 선택의 상황에 놓인 개인은 항상 불안을 느끼며, 선택을 꺼리고 회피함으로써 결국 모든 개인은 절망하고 만다. 키르케고르는 이런 절망을 '죽음에 이르는 병'이라고 하였다. 그러나 죽음에 이르는 병에 걸린 절망하는 인간은 절망에서 벗어날 수 있는 가능성도 동시에 가지고 있으며 완전히 절망한 상태에서 진정한 자기, 즉 실존을 발견하게 된다. 단독자로서 개인은 구체적이고 현실적이며 개별적이고 주체적인 자기 존재, 즉 주체성을 최대의 관심사로 삼는다. 바로 이 주체성이 진리이다.

따라서 진리는 객관적이거나 합리적인 것이 아니다. 주체성, 즉 실존은 육체를 가지고서 절망하는 존재이며, 바로 그러하기에 자신의 존재 방식에 관심을 가지고서 어떻게 살아갈 것인가를 고뇌하는 존재이다.

(나) 이날 홍려시 소경(鴻臚寺少卿) 조광련(趙光連)과 의자를 나란히 하고서 요술을 구경하였다. 내가 조광련에게 말하였다.

"눈이 능히 시비를 판단치 못하고 진위를 살피지 못할진대, 비록 눈이 없다고 해도 괜찮으리이다. 그러나 항상 요술하는 자에게 속게 되는 것은 이 눈이 일찍이 망령되지 않은 것은 아니나, **분명하게 본다는 것이 도리어 탈이 되는 것입니다**그려."

조광련이 말했다.

"비록 요술을 잘하는 자가 있다 해도 맹인은 속이기가 어려울 터이니, 눈이란 과연 항상 믿을 만한 것일까요?"

내가 말했다.

"우리나라에 서화담(徐花潭) 선생이란 분이 있었지요. 밖에 나갔다가 길에서 **울고 있는 자**를 만났더랍니다. '너는 왜 우느냐?' 물으니 이렇게 대답했답니다. '저는 세 살에 눈이 멀어 지금에 사십 년이올시다. 전일에 길을 갈 때는 발에다 보는 것을 맡기고, 물건을 잡을 때는 손에다 보는 것을 맡기고, 소리를 듣고서 누구인지를 분간할 때는 귀에다 보는 것을 맡기고, 냄새를 맡고서 무슨 물건인가를 살필 때는 코에다 보는 것을 맡겼습지요. 사람에게는 두 눈이 있으되, 저에게는 손과 발과 코와 귀가 눈 아님이 없었습니다. 또한 어찌 다만 손과 발, 코와 귀뿐이겠습니까? 해가 뜨고 해가 지는 것은 낮에 피곤함으로 미루어 보았고, 물건의 모습과 빛깔은 밤에 꿈으로 보았지요. 장애가 될 것도 없고 의심과 혼란도 없었지요. 이제 길을 가는 도중에 두 눈이 갑자기 밝아지고 백태가 끼었던 눈이 저절로 열리고 보니, 천지는 드넓고 산천은 뒤섞이어 만물이 눈을 가리고 온갖 의심이 마음을 막아서 손과 발, 코와 귀가 뒤죽박죽 착각을 일으켜 온통 예전의 일상을 잃게 되었습니다. 집이 어디인지 까마득히 잃어버려 스스로 돌아갈 길이 없는지라 그래서 울고 있습니다.' 화담 선생이 말했습니다. '네가 네 지팡이에게 물어본다면 지팡이가 응당 절로 알지 않겠느냐.' 그가 말하기를, '제 눈이 이미 밝아졌으니 지팡이를 어디에 다 쓰겠습니까?' 하니 선생이 말했습니다. '그렇다면 도로 눈을 감아라. 바로 거기에 네 집이 있으리라.' 이로써 논한다면, 눈이란 그 밝은 것을 자랑할 것이 못 됩니다. 오늘 요술을 보니, 요술쟁이가 능히 속인 것이 아니라 사실은 구경하는 사람이 스스로 속은 것일 뿐이라오."

(다) 사람은 오감(五感), 즉 시각, 청각, 후각, 미각, 촉각을 통해 세상을 인식한다. 이 다섯 가지의 감각 중 가장 많은 역할을 하는 것은 시각으로, 사람이 습득하는 정보의 80퍼센트는 오로지 시각에 의존한 정보들이다. 대부분의 정보를 시각으로 받아들이면서 우리는 자연스럽게 시각의 능력을 높이 신뢰하게 된다. 그런데 과연 눈으로 보는 정보들은 다 믿을 수 있는 것일까? 우리 눈에 보이는 것은 정말 '눈에 보이는 대로'만 존재하는 것일까?

1999년 신경 과학 분야의 국제 학술지인 『퍼셉션』에 「우리 가운데에 있는 고릴라」라는 제목으로 실린 논문이 있다. 당시 하버드 대학교 심리학과의 대니얼 사이먼스와 크리스토퍼 차브리스는 사람들을 대상으로 흥미로운 실험을 하였다. 그들은 흰옷과 검은 옷을 입은 학생 여러 명을 두 조로 나누어 같은 조끼리만 이리저리 농구공을 주고받게 하고 그 장면을 동영상으로 찍었다. 그리고 이를 사람들에게 보여 주고 이렇게 주문하였다. "검은 옷을 입은 조는 무시하고 흰옷을 입은 조의 패스 횟수만 세어 주세요." 라고. 동영상은 1분 남짓이었으므로 대부분의 사람들은 어렵지 않게 흰옷을 입은 조의 패스 횟수를 맞히는 데 성공하였다. 그리고 그들 중 절반은 왜 이런 간단한 실험을 하는지 목적을 파악하지 못해 고개를 갸웃거렸다.

사실 실험의 목적은 따로 있었다. 실험 참가자들에게 보여 준 동영상 중간에는 고릴라 의상을 입은 한 학생이 걸어 나와 가슴을 치고 퇴장하는 장면이 무려 9초에 걸쳐 등장한다. 재미있는 사실은 동영상을 본 사람들 중 절반은 자신이 고릴라를 보았다는 사실을 전혀 인지하지 못했다는 것이다. 나머지 절반은 고릴라를 알아보고 황당하다는 반응을 보였다. 심지어 고릴라를 인지하지 못한 이들에게 고릴라의 등장 사실을 알려 주고 동영상을 다시 보여 주자. 분명 먼젓번 동영상에서는 고릴라가 등장하지 않았다고 말하는 사람도 있었다. 그러면서 실험자가 자신을 놀리려고 다른 동영상을 보여 준 것이 아니냐는 의심을 하기도 하였다. 도대체 왜 이들은 고릴라를 보지 못한 것일까?

대니얼 사이먼스와 크리스토퍼 차브리스는 이를 '무주의 맹시' 라고 칭했다.

1. 제시문 (나)에서 "분명하게 본다는 것이 도리어 탈이 되는 것입니다"라는 주장의 의미를 제시문 (다)를 근거로 설명하시오. (250점, 400~500자, 제시된 작성 분량 미 준수 시 감점 처리됨)

2. 제시문 (가)의 키르케고르의 관점에서, 제시문 (나)의 '울고 있는 자'가 처한 상황과 서화담의 조언을 설명하시오. (450점, 800~900자. 제시된 작성 분량 미 준수 시 감점 처리됨)

세종대학교
SEJONG UNIVERSITY

계　　열	지 원 학 과
인 문 계 열	

성　　명

【1번】 답안　　(반드시 해당 문제와 일치하여야 함)

40
80
120
160
200
240
280
320
360
400
440
480
520

이 줄 아래에 답안을 작성하거나 낙서할 경우 판독이 불가능하여 채점 불가

【2번】 답안　　　(반드시 해당 문제와 일치하여야 함)

40

80

120

160

200

240

280

320

360

400

440

480

520

560

600

640

680

720

760

800

840

880

920

11. 2021학년도 세종대 모의 논술

(가) 우리 사회가 토론과 논쟁에 서툴다는 것을 대부분의 사람은 알고 있다. 그러나 토론 부재와 논쟁 불능 사회가 가져오는 부작용이 얼마나 큰지는 제대로 인식하지 못하는 것 같다. 밀은 "사회에서 널리 통용되는 의견이나 감정이 부리는 횡포 그리고 그런 통설과 다른 생각과 습관을 가진 이견 제시자에게 사회가 법률적 제재 이외의 방법으로 윽박지르면서 통설을 행동 지침으로 받아들이도록 강요하는 경향에 대해서도 대비를 해야 한다." 라고 했다. 이는 다수의 의견을 모든 사회 구성원에게 강요하고 조금이라도 다른 의견은 묵살해 버리는 사회의 위험성과 폭력성을 경계하는 말이다. 그런 사회에서는 소수의 권익도, 다수를 위한 합리적인 정책도 보장되기 어렵다. (...)

무릇 모든 소통이 그러하듯 논쟁의 출발점도 상대방의 입장을 듣는 데서 시작한다. 상대방의 논리에서 허점을 찾아내고 상대방이 납득할 만한 이유를 제공하는 것이 논쟁의 규칙이다. 그러자면 어울리기 싫어도 생각이 다른 이들과 대화를 하고 그들의 입장을 들어야 한다.

미국의 법학자 선스타인은 "나는 네 의견에 동의하지 않는다." 라고 말하지 않는 사람들은 집단의 의견에 동조하거나 강화된 자기 의견 속에 안주한다고 했다. 그렇게 되면 자기 합리화와 상호 비방만 있게 된다. 반대 의견을 내고 기꺼이 논쟁하는 사람들이 이러한 상황을 흔들 수 있는 생산적 논쟁에 나서야 한다. 치열하게 논쟁을 한다면 우리 사회의 의견 스펙트럼이 지금보다는 다양해질 것이다.

(나) 앞부분의 줄거리

세 명의 파수꾼이 황야에 서 있는 망루의 위와 아래에서 이리 떼가 습격해 오는지 감시하고 있다. 마을 사람들은 이리 떼의 습격을 알리는 양철 북 소리가 들리면 즉시 대피할 수 있게 모든 준비를 하고 있다. '파수꾼 다'는 선임인 '파수꾼 가'가 외치는 "이리 떼다. 이리 떼! 이리 떼가 몰려온다!" 라는 소리와 그가 울리는 양철 북 소리에 긴장하지만, 이리 떼가 습격해 오는 것을 실제로 본 일은 없다. 마을 사람들은 이리 떼가 나타났다는 신호에 겁을 먹고 피하다 다리가 부러지기도 한다. 아이가 우물에 빠져 죽는 일이 일어나기도 한다. 어느 날 저녁, '파수꾼 다'는 다른 파수꾼이 모두 잠을 자고 있을 때 망루 위에 올라간다. 그리고 '파수꾼 가'가 외쳐 알리는 '이리 떼'의 정체가 '흰 구름'임을 알게 된다. '파수꾼 다'는 자신이 알게 된 것을 촌장에게 알린다. (...)

촌장 이것, 네가 보낸 거냐?

다 네, 촌장님.

촌장 나를 이곳에 오도록 해서 고맙다. 한 가지 유감스러운 건, 이 편지를 가져온 운반인이 도중에서 읽어 본 모양이더라. '이리 떼는 없고, 흰 구름뿐.' 그 수다쟁이가 사람들에게 떠벌리고 있단다. 조금 후엔 모두들 이곳으로 몰려

올 거야. 물론 네 탓은 아니다. 몰려오는 사람들은, 말하자면 불청객이지. 더구나 그들은 화가 나서 도끼라든가 망치를 들고 올 거다.

다 도끼와 망치는 왜 들고 와요?

촌장 망루를 부수려고 그러겠지. 그 성난 사람들만 오지 않는다면 난 너하구 딸기라도 따러 가고 싶다. 난 어디에 딸기가 많은지 알고 있거든. 이리 떼를 주의하라는 팻말 밑엔 으레 잘 익은 딸기가 가득하단다.

다 촌장님은 이리가 무섭지 않으세요?

촌장 없는 걸 왜 무서워하겠나?

다 촌장님도 아시는군요?

촌장 난 알고 있지.

다 아셨으면서 왜 숨기셨죠? 모든 사람들에게, 저 덫을 보러 간 파수꾼에게, 왜 말하지 않은 거예요?

촌장 말해 주지 않는 것이 더 좋기 때문이다.

다 거짓말 마세요, 촌장님! 일생을 이 쓸쓸한 곳에서 보내는 것이 더 좋아요? 사람들도 그렇죠! '이리 떼가 몰려온다.' 이 헛된 두려움에 시달리고 사는 게 그게 더 좋아요?

(다) 조지 오웰의 소설 『1984』에는 정보를 독점한 채 사회를 강력하게 통제하는 감시 권력인 '빅브라더'가 등장한다. 사회 구성원들의 일거수일투족을 모두 알고 있는 전지전능한 존재인 빅브라더는 사실 대중 지배를 목적으로 만들어진 허구의 존재이다. 마치 원형 감옥인 판옵티콘에서 죄수들이 언제 감시당하는지 전혀 파악할 수 없어 두려움을 느끼고 죄수 생활을 하는 것처럼 소설 속 사람들 역시 한 번도 본 적이 없는 빅브라더의 존재에 대해 막연한 두려움을 느끼며 살아간다.

소설 『1984』 속에서는 권력이 대중을 감시하는 도구로 세 가지가 제시된다. 개인의 의식과 사고를 감시하는 사상 경찰, 모든 공간에 설치되어 있는 텔레스크린과 마이크로폰이 그것이다. 텔레스크린과 마이크로폰은 시민들의 대화나 행동을 감시하고 개인의 혼잣말까지도 녹화하고 감시한다. 이 소설이 발표된 것은 1949인데, 소설 속 상황은 정보 사회를 사는 현대의 우리와 매우 닮아 있다. 정보 사회의 구성원들 역시 소설 『1984』 속 등장 인물들처럼 언제, 누구에 의해, 왜 감시당하는지조차 깨닫지 못한 채 일상적으로 감시당하고 있기 때문이다.

그렇다면 이 같은 고도의 감시 사회에 우리는 어떻게 대응해야 할까? 이에 대해 지그문트 바우만은 소설 『1984』 속의 비교적 단조로운 감시 주체와 달리, 정보 사회에서는 더욱 다양한 부문에서 감시 권력이 대중을 지배한다는 점에 주목한다. 따라서 대중의 비판적 사고가 매우 중요하다고 본다. 더불어 현실적으로 감시 권력을 없앨 수 없다면, 시민들 스스로가 역으로 감시 권력을 감시하고 통제하기 위한 노력을 기울여야 한다고 본다.

1. 제시문 (나) 마을과 (다) 사회의 공통점과 차이점을 설명하라. (400~500자, 제시된 분량 미 준수 시 감점 처리됨)

2. 제시문 (나)를 (다)의 형식으로 재구성하고, 제시문 (가)의 관점에서 (나) 마을에 대한 평가와 해결책을 제시하시오. (800~900자, 제시된 분량 미 준수 시 감점 처리됨)

【1번】답안	(반드시 해당 문제와 일치하여야 함)

40
80
120
160
200
240
280
320
360
400
440
480
520

이 줄 아래에 답안을 작성하거나 낙서할 경우 판독이 불가능하여 채점 불가

【2번】 답안 (반드시 해당 문제와 일치하여야 함)

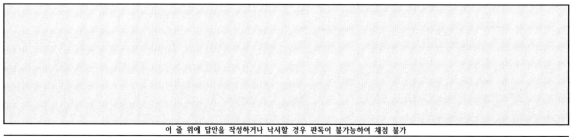

이 줄 위에 답안을 작성하거나 낙서할 경우 판독이 불가능하여 채점 불가

480

520

560

600

640

680

720

760

800

840

880

920

12. 2020학년도 세종대 수시 논술 (A형)

(가) '진실'이란 어떤 사건이나 문제에 대해 있는 그대로의 사실을 말한다. 그러나 있는 그대로란 무엇인가? 언론에 있어 '진실'이란, 사물을 부분만 보지 말고 전체를 보아야 한다는 것을 뜻한다. '진실'이 알려지는 것을 두려워하는 사람들은, 신문이 사건이나 문제의 전모를 밝히는 것을 저지하기 위해 자기들에게 유리한 부분만을 과장하여 선전하기도 하고, 불리한 면은 은폐하여 알리지 않으려고 한다. (…)

사실을 정확하게 보도하려면 기사를 객관적으로 써야 한다는 말이 있다. 조금도 주관을 섞지 않고 있는 그대로 기사를 써야만 정확한 보도가 된다는 것이다. 그러나 '객관적'이라는 표현은 주의해서 이해할 필요가 있다. 왜냐하면 정확하고 올바른 보도일수록 객관적이기보다 오히려 훌륭한 의미에서 주관적이기 때문이다. (…)

윤봉길 의사가 1932년, 중국 상하이(上海)에서 일본 시라카와 대장 등을 폭사(暴死)시킨 사건을 예로 들어 보자. 만약, 정확한 보도라는 것이 주관을 전혀 개입시키지 않고 거울처럼 보이는 그대로를 보도하는 것을 의미한다면, 윤 의사는 일본군의 엄숙한 의식을 피바다로 물들인 엄청난 사건의 '테러리스트'일 수밖에 없을 것이다. 신문은 마땅히 윤 의사를 규탄하는 보도를 하지 않을 수 없게 될 것이다. 그러나 이런 보도가 사건을 정확히 알리는 보도가 될 수 없다는 것은 분명하다. 윤 의사의 장거(壯舉)는 우선 역사적으로 이해하지 않으면 안 된다. 일본이 한국을 식민지로 삼고 있으며, 식민지 제도라는 것이 인류 역사상 배격, 규탄돼야 할 역사적 유제(遺制)라는 판단이 앞서야 한다. 또, 윤 의사의 장거 당시 우리 삼천만 동포가 일제의 착취와 탄압 아래에서 얼마나 신음하고 있었느냐를 윤 의사의 행위와 관련시켜 보아야 한다. 사건을 전체적, 역사적 근거와 조건을 식별하는 입장에서 보지 않으면 안 된다. 이런 판단이 서야만 이 사건의 핵심이 어디에 있는가를 비로소 파악할 수 있다.

윤 의사의 폭탄 투척을 정확히 이해하기 위해서는 이 사건에 이 같은 수많은 사실이 횡적으로 종적으로 얽혀 있다는 점을 우선 알아야 한다. 한 사건을 정확히 보도하는 데 만약 이와 같은 풍부한 지식이 필요하다면, 어떤 의미에서는 주관적 보도라고 하지 않을 수 없다. 정확한 보도를 하기 위해서는 고도의 사회 과학적 소양과 문학적, 철학적 소양이 필요하다.

미국이 낳은 세계적인 기자 올솝 형제가 *"훌륭하고 정확한 보도는 본래 가장 주관적인 것이다."* 라고 한 것도 이런 점을 지적해 말한 것으로 보아야 할 것이다. 윤 의사의 의거와 같은 극단적인 예를 든 것이 적절치 못하다고 할는지 모르나, 정확한 보도가 필요하다고 생각되는 사실일수록 오히려 고도의 주관적 보도를 통해 진실의 전달이 가능하다는 것을 깨달아야 한다.

신문이 진실을 보도해야 한다는 것은 새삼스러운 설명이 필요 없는 당연한 이야기이다. 정확한 보도를 하기 위해서는 문제를 전체적으로 보아야 하고, 역사적으로 새로운 가치의 편에서 봐야 하며, 무엇이 근거이고, 무엇이 조건인가를 명확히 해야 한다고 했다.

(나) 펜타곤 페이퍼 작성에 참여하였던 군사 분석 전문가 대니얼 엘스버그는 1971년 베트남 전쟁을 촉발한 사건인 '통킹 만 사건'이 사실은 미군이 베트남전에 참전하기 위해 조작한 것이라는 내용이 담긴 펜타곤 페이퍼를 세상에 공개하였다.

당시 미국 측은 베트남 북부 해안에 위치한 통킹 만에서 베트남 어뢰정이 미군함을 두 번이나 선제공격했다고 폭로하여 전 국민의 분노를 일으키고 전쟁 참여 여론을 일깨웠다. 하지만 알고 보니 통킹 만에서는 아무 사건도 일어나지 않았다. 베트남은 공격을 한 적도 없고 미군은 공격을 받은 적도 없었던 것이다. 미군이 이 같은 사실을 조작한 이유는 베트남전 참전의 명분을 얻으려는 이유에서였다. 전쟁을 통해 얻을 수 있는 경제적 이익 때문에 미군 고위층과 군수 업체가 합작하여 통킹 만 사건을 조작했던 것이다. 이 같은 내용은 펜타곤 페이퍼에 자세히 기록되었다.

엘스버그는 처음에는 미국의 인도차이나에서의 역할을 열렬히 지지하는 쪽이었다. 그러나 무고한 사람들이 희생당하는 참혹한 전쟁을 목격하고, 펜타곤 페이퍼 작성팀의 일원으로서 비밀을 지킬 것인지, 아니면 한 사람의 시민으로서 통킹 만 사건의 진실을 알 릴 것인지를 고민하였다. 결국 그는 펜타곤 페이퍼를 세상에 공개하기로 결정하였다. 엘스버그는 이 보고서를 뉴욕 타임스지에 보냈고, 뉴욕 타임스지는 이 사실을 신문지상에 연재하였다.

이후 미국 연방 정부는 이 보고서의 공개를 제한하기 위하여 엘스버그 및 신문사와 법정 소송까지 치렀지만, 연방 대법원은 판결문에서 "헌법이 언론의 자유를 보장한 것은 정부의 비밀을 파헤쳐 국민에게 알리도록 하기 위한 것이다. 정부 기관의 비리나 비행을 폭로한 행위는 공공의 이익에 부합한다."라고 엘스버그와 신문사의 손을 들어 주었다.

(다) 억압받고 있는 의견이 때로는 올바른 것인지도 모른다. 그 의견을 억압하려고 하는 사람들은 그 의견의 진실을 부정할 것이 분명하지만 그들의 판단만이 언제나 옳다는 보장은 누구도 할 수 없다. 누구도 전 인류를 대신해서 문제를 결정하고, 다른 모든 사람의 판단력을 빼앗을 만한 권위를 지닐 수 없다.

모든 토론을 침묵하게 하는 것은 '인간의 절대 무오류성'을 가정하는 것이다. 하지만 인간은 끊임없이 잘못 판단하고, 잘못 행동하면서 살아간다. 사람들은 자신이 항상 옳은 것은 아니라는 사실을 잘 알고 있지만, 불행하게도 실제로 자신이 판단을 내릴 때에는 이를 거의 문제 삼지 않는다. 왜냐하면, 자신이 잘못을 저지를 가능성에 대하여 예방책이 필요하다고 생각하거나, 자기가 확실하다고 느끼는 것이 잘못된 판단에 따른 것일 수도 있다는 사실을 받아들이는 사람은 거의 없기 때문이다.

가끔은 자신의 의견이 반박당하는 소리를 듣기도 하고, 또 자신의 의견이 잘못되었을 때 그것을 정정하는 데 어느 정도 익숙한 사람은, 그들의 의견 가운데에서 주위의 모든 사람이나 그들이 항상 존경하는 사람과의 공통된 부분에만 조건 없는 신뢰를 준다. 왜냐하면, 사람은 자신의 판단에 대하여 확고한 자신을 갖지 못하면 못할수록 '세상' 일반의 절대 무오류성을 신뢰하기 때문이다. 그리고 각 개인에게 '세상'이란 그가 접촉하는 일부의 세계, 즉 그가 속해 있는 당파, 종파, 사회 계급을 뜻한다.

1. 제시문 (가)의 내용을 요약하시오. (400~500자, 제시된 분량 미 준수 시 감점 처리됨)

2. 제시문 (나)와 (다)를 활용하여 제시문 (가)의 "훌륭하고 정확한 보도는 본래 가장 주관적인 것이다."를 비판하시오. (800~900자, 제시된 분량 미 준수 시 감점 처리됨)

세종대학교
SEJONG UNIVERSITY

계 열	지 원 학 과
인 문 계 열	

성 명

수 험 번 호	생년월일(예:041123)
⓪⓪⓪⓪⓪⓪⓪⓪	⓪⓪⓪⓪⓪⓪
①①①①①①①①	①①①①①①
②②②②②②②②	②②②②②②
③③③③③③③③	③③③③③③
④④④④④④④④	④④④④④④
⑤⑤⑤⑤⑤⑤⑤⑤	⑤⑤⑤⑤⑤⑤
⑥⑥⑥⑥⑥⑥⑥⑥	⑥⑥⑥⑥⑥⑥
⑦⑦⑦⑦⑦⑦⑦⑦	⑦⑦⑦⑦⑦⑦
⑧⑧⑧⑧⑧⑧⑧⑧	⑧⑧⑧⑧⑧⑧
⑨⑨⑨⑨⑨⑨⑨⑨	⑨⑨⑨⑨⑨⑨

유 의 사 항

1. 답안지는 **흑색 볼펜**으로 원고지 사용법에 따라 작성하여야 합니다. (수정액 및 수정테이프 사용 금지)

2. 수험번호와 생년월일을 숫자로 쓰고 컴퓨터용 사인펜으로 ● 표기하여야 합니다.

3. **답안의 작성영역**을 벗어나지 않도록 각별히 유의 바라며, 인적사항 및 답안과 관계없는 표기를 하는 경우 **결격처리** 될 수 있습니다.

※ 감독관 확인란

【1번】답안 (반드시 해당 문제와 일치하여야 함)

40
80
120
160
200
240
280
320
360
400
440
480
520

이 줄 아래에 답안을 작성하거나 낙서할 경우 판독이 불가능하여 채점 불가

98

이 줄 위에 답안을 작성하거나 낙서할 경우 판독어 불가능하여 채점 불가

【2번】답안   (반드시 해당 문제와 일치하여야 함)

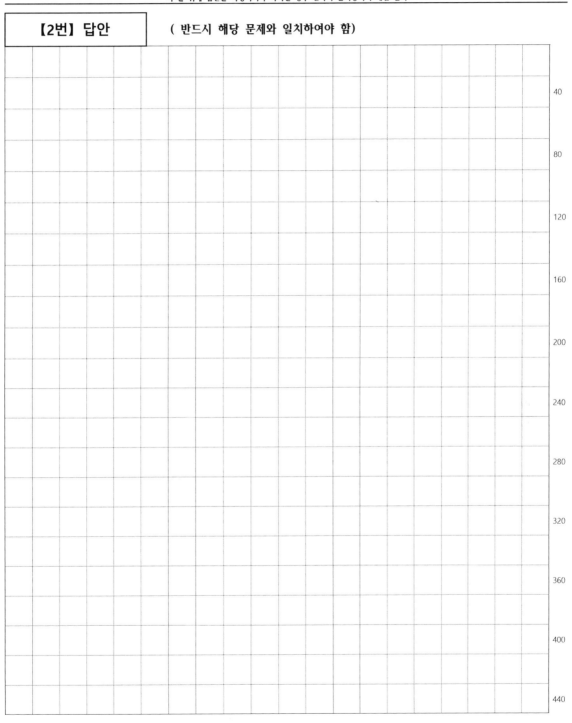

40

80

120

160

200

240

280

320

360

400

440

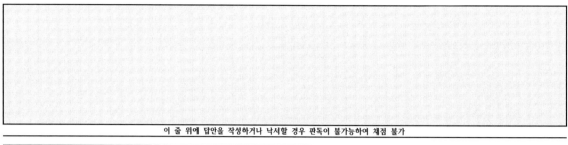

이 줄 위에 답안을 작성하거나 낙서할 경우 판독이 불가능하여 채점 불가

480

520

560

600

640

680

720

760

800

840

880

920

100

13. 2020학년도 세종대 수시 논술 (B형)

(가) 어느 때 어느 사회에서고 일은 언제나 찬양되고 격려되어 왔다. 사실 일의 내재적 가치를 부정하고 아무도 일을 하지 않는 사회는 있을 수 없다. 동물과는 달리 인간은 자신의 생존을 위해서 무엇인가를 생산해야 한다. 일은 바로 이런 생산 활동에 지나지 않는다. 일을 하지 않는 사회, '일'이라고 하는 생산 활동이 없는 사회에서 인간은 인간으로서 살아남을 수 없다.

그러나 일은 반드시 노력을 요구한다. 노력은 필연적으로 일종의 고통을 의미한다. 고통을 피하려는 것은 모든 생물의 근본적 이치이다. 그러므로 일이 아무리 미화되더라도 그것은 모든 인간이 반드시 피하고자 하는 것임엔 틀림없다. 모든 사회에서 일이 도덕적, 윤리적으로 찬미되고 때로는 성화(聖化)되기까지도 하는 근본적 이유는 일의 위와 같은 성질에 있을지도 모른다.

아닌 게 아니라 20세기에 하나의 철학적 기둥으로 알려졌고 사회·문화비평가이기도 한 러셀은 일을 성화하려는 숨은 동기를 폭로하고 일의 내재적 가치를 적극적으로 부정한다. 흔히 일은 찬미되어야 할 것으로 여겨진다. 그런데 그에 의하면 역사적으로 모든 사회에서 일의 미덕은 남들의 피땀 흘린 일의 열매만을 놀면서 즐기는 사회의 지배자들이 자신들의 특권을 유지하기 위해 고안한 속임수라는 것이다. 일은 한 인간이 생존하기 위해 견디어야 할 필요악에 불과하다는 것이다. 러셀은 일의 미화를 소수의 지배층, 특히 경제적 지배층이 피지배층, 특히 노동력을 제공하는 근로 대중에게 적용한 일종의 세뇌 수단으로 보고 있다.

일의 고귀성은 고사하고 일의 내재적 가치, 즉 그 자체로서 갖고 있는 일의 가치를 적극적으로 부정하는 러셀의 견해는 옳은가. 아니면 일을 격려하고 일의 고귀성과 성스러움까지를 강조하는 기존의 일에 관한 주장이 옳은가. 양립하는 두 관점 가운데 어느 하나를 택하려면, 즉 위와 같은 두 개의 물음에 대답을 찾아 주려면 우선 '일'이라는 말의 의미를 좀 더 주의 깊게 검토해야 한다.

정치 철학자로 알려진 아렌트 여사는 우리가 보통 '일이라 부르는 활동을 '작업work)'과 '고역(苦役, labor)'으로 구분한다. 이 두 가지 모두 인간의 노력, 땀과 인내를 수반하는 활동이며, 어떤 결과를 목적으로 하는 활동이다. 그러나 전자가 자의적인 활동인 데 반해서 후자는 타의에 의해 강요된 활동이다. 전자의 활동을 창조적이라 한다면 후자의 활동은 기계적이다. 창조적 활동의 목적이 작품 창작에 있다면, 후자의 활동 목적은 상품 생산에만 있다.

전자, 즉 '작업'이 인간적으로 수용될 수 있는 물리적 혹은 정신적 조건하에서 이루어지는 '일'이라면 '고역'은 그 정반대의 조건에서 행해진 '일'이라는 것이다. (…) 일을 작업과 고역으로 구별하고 그것들을 위와 같이 정의할 때 고역으로서 일의 가치는 러셀의 말대로 부정되어야 하지만 작업으로서 일은 전통적으로 종교 혹은 철학을 통해서 모든 사회가 늘 강조해 온 대로 오히려 찬미되고, 격려되며 인간으로부터 빼앗아 가서는 안 될 귀중한 가치라고 봐야 한다.

(나) 창고에는 늘 물자가 차고 넘친다. 필요한 것은 돈을 낼 필요도 없이 그냥 가져다 쓰면 된다. 사람들은 하루에 여섯 시간만 일한다. 오전에 세 시간. 점심 먹고 두 시간 쉰 뒤 오후에 세 시간. 그 밖의 시간은 무엇을 하건 자유이다. 끼니 걱정할 일도 없다. 마을 회관에서 때마다 식사를 주는 까닭이다. 개인의 사정에 따라 여분의 음식물을 집에 가지고 갈 수도 있다. 집도 국가가 알아서 마련해 준다. 한 마디로 아무 걱정 없이 살 수 있는 사회이다.

모어가 1516년에 발표한 소설 '유토피아'에 나오는 나라의 모습이다. (…) 유토피아에서는 남녀 모두가 일을 한다. 재산에 기대어 놀고먹는 자들도 없으며, 다른 사람에게 빌붙어 먹고사는 부랑자나 거지도 없다.

일손이 많으니 일해야 하는 시간은 절로 줄어든다. 심지어 하루 여섯 시간 노동도 너무 많게 느껴질 때도 있다. 노동 인구가 넘쳐 나는 탓이다. 이럴 때 정부는 사람들에게 도로를 고치는 등의 업무를 준다. 그마저도 없을 때는 근무 시간을 줄여 버린다. 유토피아에서 일을 하는 목적은 재산을 쌓는 데 있지 않다. 국가의 목표는 시민들이 '육체노동에서 벗어나 가능한 한 많은 시간을 마음을 닦는 데 쓰도록' 하는 것이다. 유토피아 인들은 죽도록 일에만 매달리는 삶은 노예와 다를 바 없다고 여긴다.

(다) 간단하게 여겼던 옥상의 공사는 의외로 시간을 끌었다. 홈통으로 물이 잘 빠질 수 있도록 경사면을 맞춰야 하는 것도 시간을 더디게 했고 깨 놓은 자리와 기왕의 자리의 이음새 사이로 물이 새지 않도록 면을 고르다 보니 조금씩 더 깨부숴야 하는 추가 부담도 잇따랐다. 이미 밤은 시작된 것이나 진배없어 이웃집들의 창문에 하나둘 불이 밝혀졌다. 그런데도 임 씨는 만족하다 싶을 때까지는 일손을 놓고 싶지 않은 모양이었다. 이리 재고 저리 재고, 그러고도 모자라 이왕 덮어 놓은 곳을 한번에 으깨어 버리고 또 새로 흙손질을 거듭하곤 했다. 옆에서 보고 있자니 임 씨는 도무지 시간 가는 줄을 모르는 사람 같았다.

몇 번씩이나 옥상에 얼굴을 디밀고 일의 진척 상황을 살피던 아내도 마침내 질렸다는 듯 입을 열었다.

"대강 해 두세요. 날도 어두워졌는데 어서들 내려오시라구요."

"다 되어 갑니다. 사모님. 하던 일이니 깨끗이 손봐 드려얍지요."

다시 방수액을 부어 완벽을 기하고 이음새 부분은 손가락으로 몇 번씩 문대어 보고 나서야 임 씨는 허리를 일으켰다. 임 씨가 일에 몰두해 있는 동안 그는 숨소리조차 내지 않고 일하는 양을 지켜보았다. 저 열 손가락에 박힌 공이의 대가가 기껏 지하실 단칸방만큼의 생활뿐이라면 좀 너무하지 않나 하는 안타까움이 솟아오르기도 했다. 목욕탕 일도 그러했지만 이 사람의 손은 특별한 데가 있다는 느낌이었다. 자신이 주무르고 있는 일감에 한 치의 틈도 없이 밀착되어 날렵하게 움직이고 있는 임 씨의 열 손가락은 손가락 이상의 그 무엇이었다. 처음에는 이 사내가 견적대로의 돈을 다 받기가 민망하여 우정(일부러 지어내 보이는 열정이라고 여겼었다. 옥상 일의 중간에 잠시 집에 내려갔을 때 아내도 그런 뜻을 표했다.

> "예상외로 옥상 일이 힘드나 보죠? 저 사람도 이제 세상에 공돈은 없다는 사실을 깨달았을 거에요."
>
> 하지만 우정 지어낸 열정으로 단정한다면 당한 쪽은 되레 그들이었다. 밤 여덟 시가 지나도록 잡역부 노릇에 시달린 그도 고생이었고, 부러 만들어 시킨 일로 심적 부담을 느끼기 시작한 그의 아내 역시 안절부절못했으니까. (…)
>
> 안방에서 아이들을 보고 있던 노모가 대신 임 씨의 노고를 치하해 주었다.
>
> "젊은 사람이 일도 엄청 잘하네. 늦으문 낼 하고 쉬었다 하모 좋을 끼고만 일 무서분 줄 모르는 걸 보이 앞으로는 잘살 끼요."
>
> 노모의 덕담을 임 씨는 무릎을 꿇고 두 손을 짚은 채 들었다.

1. 제시문 (가)의 내용을 요약하시오. (400~500자, 제시된 분량 미 준수 시 감점 처리됨)

2. 제시문 (나)의 유토피아 인들과 (다)의 임 씨가 하는 일을 근거로 하여 제시문 (가)에서 말하는 '작업'과 '고역'의 구분을 비판하시오. (800~900자, 제시된 분량 미 준수 시 감점 처리됨)

【1번】 답안	(반드시 해당 문제와 일치하여야 함)

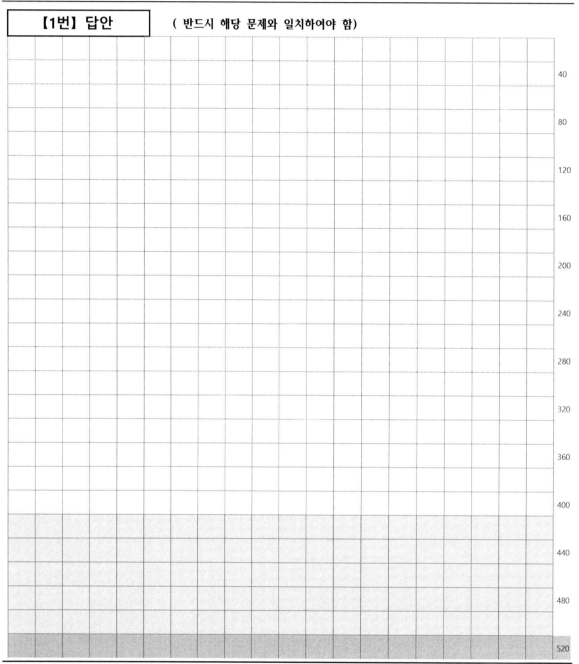

이 줄 아래에 답안을 작성하거나 낙서할 경우 판독이 불가능하여 채점 불가

이 줄 위에 답안을 작성하거나 낙서할 경우 판독이 불가능하여 채점 불가

【2번】답안 　　　　(반드시 해당 문제와 일치하여야 함)

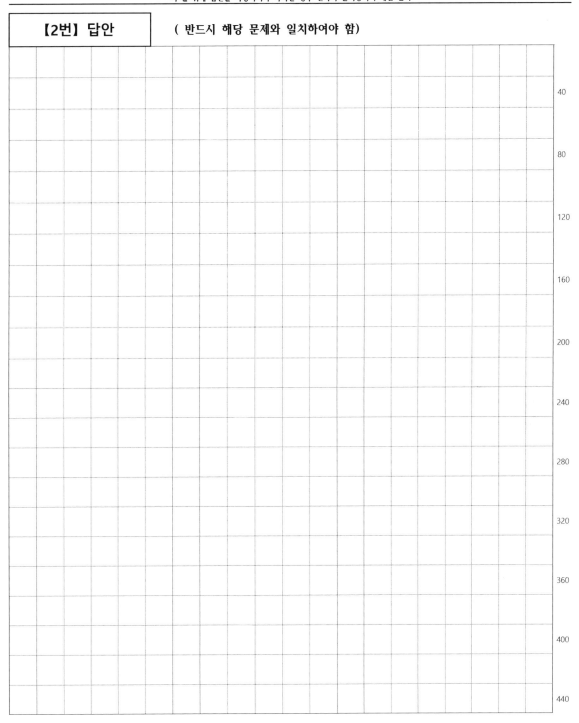

40

80

120

160

200

240

280

320

360

400

440

105

480

520

560

600

640

680

720

760

800

840

880

920

14. 2020학년도 세종대 모의 논술

(가) 이전에는 제후들이 서로 경쟁하고 다투어 높은 관직과 풍족한 봉록을 주면서 천하를 떠돌며 유세하는 선비들을 자신의 나라로 초청했습니다. 그러나 지금은 천하가 이미 하나로 통일되어 태평과 안정을 누리고 있고, 법령 역시 모두 하나로 통일되어 백성들은 집에서 생업에 힘쓰고 있습니다. 그런데 지금 유학(儒學)을 공부하는 선비들은 새로운 시대의 법령과 제도를 익히는 대신 오로지 과거의 학문과 일만 배우고 익히면서 새로운 시대를 시종일관 부정하고 백성들을 의혹과 어리석음으로 갈팡질팡하게 만들고 있습니다.

신(臣) 승상 이사(李斯)는 죽음을 무릅쓰고 감히 아뢰겠습니다. 과거 천하가 분열되어 혼란을 겪고 있을 때, 온 세상을 바로잡아 안정시키고 하나로 통일할 만한 인물이 나오지 않았습니다. 이 때문에 제후들은 서로 앞을 다투어 일어났고, 유학을 공부한다는 선비들은 말만 꺼내면 옛일을 들먹이며 현실을 비난했습니다. 또, 모두 자신이 개인적으로 배우고 익힌 지식을 가지고 나라에서 제정한 정책과 법령을 비난했습니다. 그러나 지금 황제께서는 천하를 하나로 통일하셨고, 옳은 일과 잘못된 일을 분명하게 가려 주는 큰 법령과 도리 역시 하나로 제정하시었습니다.

그럼에도 유학을 공부하는 선비들은 개인적으로 학문을 가르치고 배우며, 나라에서 새로운 법령과 제도를 백성들에게 가르치고 깨우치는 일을 반대하고 있습니다. 이들은 나라에서 새로운 법령이 나왔다는 말을 들으면, 제각각 자신들이 개인적으로 익히고 배운 학문의 잣대를 들이대고 비판합니다. 또, 그들은 조정(朝廷)에 들어오면 마음속으로는 반감을 품고, 조정 밖에 나가서는 이것은 맞네 저것은 틀렸네 하고 거리에서 마구 떠들어 댑니다. 또, 명성을 얻기 위해 황제 앞에서까지 터무니없는 말을 늘어놓고, 남과 견주어 특별하게 비교될 만한 기발한 주장을 내세우려고 합니다. 그들은 입만 열면 비난을 늘어놓고, 또한 뭇사람들을 잘못된 길로 이끌고자 합니다. 유학을 공부하는 선비들의 이와 같은 행동을 금지하지 않는다면, 위로는 황제의 권위가 추락하고 아래로는 붕당(朋)이 만들어질 것입니다. 마땅히 이를 금지하는 것이 좋습니다.

신은 간청합니다. 역사를 기록하는 관리로 하여금 진(秦)나라에 관한 내용 이외의 모든 기록을 불태워 버리도록 하십시오. (중략) 그러나 의약과 점복, 그리고 농업에 관한 서적들은 불태우지 마시고 남겨 두시기 바랍니다. 또한 법령을 배우려고 하는 사람들이 있다면, 나라의 관리를 스승으로 삼아 배우게 하십시오.

(나) 다시 대학생은 흥분하기 시작했다. "물론, 내가 한 말은 농담이었지만, 생각을 해 봐, 한편으로는 어리석고, 의미 없고 하찮고, 못됐고, 아무짝에도 쓸모없는, 아니 오히려 모든 사람에게 해만 끼치는 그런 병든 노파가 있어. 그 노파는 자기가 왜 사는지도 모르고, 또 그렇지 않아도 얼마 안 있으면 저절로 죽게 될 거야. 알았어? 알아듣겠어?"

"그래 알았어." 장교는 흥분해 있는 친구를 주의 깊게 보면서 대답했다.

"더 들어 봐. 다른 한편으로는 도움을 받지 못하면 좌절하고 말 싱싱한 젊은이가 있단 말이야. 그런 젊은이는 도처에 있어! 그리고 수도원으로 가게 될 노파의 돈으로 이루어지고 고쳐질 수 있는 수백, 수천 가지의 선한 사업과 계획들이 있단 말이야! 어쩌면 수백, 수천의 사람들이 올바른 길로 갈 수도 있고, 수십 가정들이 극빈과 분열, 파멸, 타락, 성병 치료원(性病治病院)으로부터 구원을 받을 수도 있어. 이 모든 일들이 노파의 돈으로 이루어질 수 있단 말이야. 그래서 **빼앗은** 돈의 도움을 받아 훗날 전 인류와 공공의 사업을 위해 자신을 헌신하겠다는 결심을 가지고, 노파를 죽이고 돈을 **빼앗는**다면, 너는 어떻게 생각하니? 그 작은 범죄 하나가 수천 가지의 선한 일로 보상될 수는 없는 걸까? 한 사람의 생명 덕분에 수천 명의 삶이 파멸과 분열로부터 구원을 얻게 되고, 한 사람의 죽음과 수백 명의 생명이 교환되는 셈인데, 이건 간단한 계산 아닌가? 그 허약하고 어리석고 사악한 노파의 삶이 사회 전체의 무게에 비해 얼마 만큼의 가치를 지닐 수 있을까? 그 노파의 삶은 바퀴벌레와 이(蝨)의 삶보다 더 나을 것이 없고, 어쩌면 그보다 더 못하다고도 할 수 있어. 왜냐하면 그 노파는 해로운 존재니까. 그 노파는 다른 사람의 인생을 갉아먹고 있잖아. 그 여자는 바로 얼마 전까지만 해도 홧김에 리자베타의 손을 깨물어서 거의 잘라 낼 **뻔했다**고!"

"물론, 노파는 살 가치가 없어. 하지만 자연법칙이라는 것이 있잖아?" 장교는 지적했다.

"에이, 이봐, 자연을 변화시키고 조정하는 것은 인간이야. 그렇지 않았다면 사람들은 아마도 편견 속에서 허우적거리다가 죽어 버렸을 거야. 사람들은 '의무니, 양심'에 대해서 말을 하지. 난 의무와 양심에 반(反)하는 말을 하고 싶은 게 아냐. 다만 우리가 그 의무와 양심에 대해 어떻게 이해하느냐 하는 문제를 말하는 거지. 들어 봐, 내가 또 한 가지 질문을 하지."

"아니, 잠깐, 내가 질문을 하지. 들어 보라고!"

"그래, 그럼!"

"너는 지금 열변을 토하고 있는데, 한번 말씀해 보시지. 너는 네 손으로 그 노파를 죽일 수 있겠어?"

"물론 아냐! 난 다만 정의를 위해서…… 그건 내가 상관할 일이 아니지……"

"내 생각에는 만일 너 자신이 그 일을 결행할 마음을 먹지 못한다면, 거기엔 어떤 정의도 있을 수 없어!"

(다) (다윈은) 자연 선택의 다양성에 대해 더 많은 주의를 기울였다. 좀 더 구체적으로 말하자면, 다윈은 "변화는 생명체가 환경에 더욱 잘 적응하기 위해서, 번식 행위를 통해 우연히 이루어진다. 그 과정에 신의 의지 같은 어떤 외부의 힘이 개입하여 작용하지 않으며, 모든 생명체는 우열이 없다."라고 썼다. 이 글 어디에서도 약한 것이 강한 것보다 열등하며, 강자가 약자를 짓밟아도 좋다는 뜻은 담겨 있지 않

다. 다윈은 다양한 생물종을 관찰한 뒤, 생물체를 있게 한 원동력은 환경에 적응하며 얻게 된 '다양성'이라는 결론을 내렸다. (중략)

자연계에서 이러한 예는 무궁무진하다. 심지어 누군가에게는 쓰레기일지라도 이를 활용할 줄 아는 다른 누군가에게는 귀중한 자원이 될 수 있다. 소의 배설물이 쇠똥구리에게 더없이 훌륭한 먹잇감이 되고, 악어의 이빨에 끼인 찌꺼기조차 악어새에게 일용할 양식이 되는 동물의 모습을 보노라면, 오로지 타인을 짓밟아야만 살 수 있다는 잔혹한 약육강식과 적자생존의 논리는 생태계에 대한 모독으로 느껴질 정도다. 이처럼 생물체는 다양성의 증가라는 방식을 통해 저마다 자신에게 적합한 자원을 쓰고 자리를 차지하면서 무리 없이 살아간다.

다양한 생물종이 아무리 제각각 다양한 자원을 나누어 살아간다고 해도, 생물의 가짓수에 비해 자원의 가짓수는 적을 수밖에 없다. 따라서 같은 자원을 놓고 여러 생물종이 경쟁해야 하는 일은 피할 수 없다. 그러나 이런 경우에도 서로 다른 종을 없애고 모든 자원을 차지하기 위해 욕심을 부리지는 않는다. 아니, 실제로 많은 생물종은 서로를 내쫓기 위해 싸움을 벌이기보다는 서로 공존하는 방식을 찾고는 한다.

1. 제시문 (가)의 "유학을 공부하는 선비"의 입장에서 이사(李斯)의 주장을 반박하시오. (250점, 400~500자, 제시된 분량 미 준수 시 감점 처리됨)

2. 제시문 (가)에서 이사(李斯)의 주장과 (나)에서 대학생의 주장이 어떤 공통점이 있는지 기술하고, 제시문 (다)를 활용하여 이를 비판하시오. (450점, 800~900자, 제시된 분량 미 준수 시 감점 처리됨)

【1번】 답안   (반드시 해당 문제와 일치하여야 함)

40
80
120
160
200
240
280
320
360
400
440
480
520

이 줄 아래에 답안을 작성하거나 낙서할 경우 판독이 불가능하여 채점 불가

110

【2번】답안   (반드시 해당 문제와 일치하여야 함)

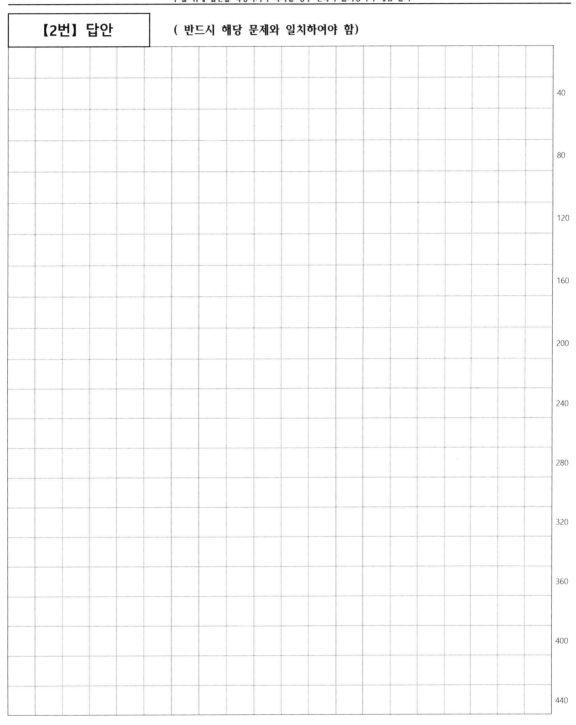

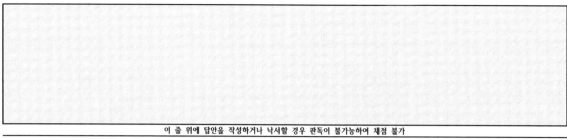

이 줄 위에 답안을 작성하거나 낙서할 경우 판독이 불가능하여 채점 불가

480

520

560

600

640

680

720

760

800

840

880

920

VI. 예시 답안
1. 2024학년도 세종대 수시 논술

1. 제시문(가)는 그림 「골콘다」를 예시로, 제시문(나)는 시 <순간>을 예시로 활용하여 제시문 (가)와 (나)를 각각 요약하시오. (250점, 400~500자, 제시된 작성 분량 미 준수 시 감점 처리됨.)

> 제시문 (가)는 상상을 통해 비현실적 장면을 연출하여 기이하고 낯선 느낌을 주는 데페이즈망을 설명한다. 「골콘다」는 검은 옷의 남자들이 공중에 떠 있는 모습을 그린 그림으로 데페이즈망의 예이다. 중력을 벗어난 사람은 비현실적이고, 기계적 배치는 사람이 비처럼 내리는 느낌을 주어 낯설다. 데페이즈망은 고립, 변형, 합성 등을 통해 추리와 상상을 유도함으로써 세상을 움직이는 힘을 만들어 낸다.
> 제시문 (나)는 기억, 사유, 상상, 표현이 인간의 독특한 능력이라 설명한다. 시 <순간>을 예로 들면, 작가가 인생이 짧다는 기억을 토대로 완벽하려고 애썼던 삶에 대해 사유하고, 다음 생이 있다면 완벽하려고 노력하기보다 실수도 용납하겠다는 상상을 표현한 것이다. 인간은 기억이 불완전하고, 사유는 불안하며, 상상은 경험에 국한 되고, 표현은 시간성에 종속되는 완벽하지 않은 존재이다. 그러나 인간은 그 유한성을 극복하고자 순간의 아름다움을 표현해낸다는 점에서 위대하다고 할 수 있다. (488자)

2. 제시문 (다)의 등장인물 '그'의 창작 활동과 제시문 (다)를 지은 저자의 창작 활동을 제시문 (가)와 (나)를 활용하여 각각 설명하시오. (450점, 800~900자, 제시된 작성 분량 미 준수 시 감점 처리됨.)

> 제시문 (다)의 등장인물 '그'는 뿌리를 이용한 작품을 허공에 걸고 '남귀덕'이라는 위안부 할머니의 이름을 붙인다. 그의 작품은 위안부라는 역사적 요소와 미술을 결합한 점, 땅에 있어야 하는 뿌리를 허공에 매달아 공간적 왜곡을 시도한 점, 뿌리뽑혀 떠돌던 위안부의 삶을 파헤쳐지고 버려진 뿌리에 비유한 점 등에서 (가)에서 말하는 데페이즈망적 창작이다. 또 (나)에 의하면, '그'의 창작 활동은 위안부의 삶에 대한 기억을 토대로 그녀들도 나무가 흙에 뿌리 내리듯 평범하고 안정적인 삶을 살고 싶었을 것이라는 사유를 거쳐, 불안정했던 위안부의 삶을 뽑혀버린 뿌리와 연결하는 상상을 조형물로 표현한 것이다. '그'는 이 작품을 통해 사람들이 위안부의 삶을 이해하고 기억하도록 유도했다고 할 수 있다.
> 제시문 (다)의 저자는 '그'의 창작 활동을 소설에 담음으로써 역사와 미술, 문학을 결합하였다. 또한 뿌리와 고모할머니의 쪼그라든 손을 연결한 점, 나무의 뿌리에서 동음이의어인 가족의 뿌리를 연상하도록 유도한 점 등에서 (가)의 데페이즈망 기법을 활용했다. (나)에 따르면, 저자의 창작 활동은 사람들이 자신의 혈연에 대해 관심과 애착이 있고, 혈연을 찾고자 하는 사람들에게는 그러한 관심과 애착이 더욱 간절할 수 있다는 기억과 사유에서 출발한다. 저자는 뿌리 예술을 하는 '그', '나', 고모 할머니를 등장인물로 설정하고, 고모할머니가 뿌리를 닮은 손으로 '나'의 손을 잡는 장면, '나'가 작품 '남귀덕'을 보고 고모할머니의

삶을 연상하는 장면, '나'가 자신이 고모할머니와 닮았다는 사실을 깨닫는 장면 등을 통해 혈연에 대한 애착을 담아내는 소설적 상상을 작품으로 표현한 것이다. 저자는 이 창작 활동을 통해 잊고 살기 쉬운 가족과 혈연에 대한 애착과 관심을 강조한 것이라고 할 수 있다. (890자)

2. 2024학년도 세종대 모의 논술

1. 제시문 (가)의 밑줄 친 아버지의 '신념'이 의미하는 바를 설명하시오. (400~500자, 제시된 작성 분량 미 준수 시 감점 처리됨).

제시문(가)에서 아버지는 땅을 팔아 병원을 확장하는 것이 여러 면에서 실리적이라는 아들의 설득에도 자신의 신념을 끝까지 지키고자 한다. 아버지의 신념은 첫째, 땅은 이해를 따져서 사고파는 대상이 아니라는 것이다. 땅은 대대로 조상들이 피땀을 흘려가며 공들여 이룩해 놓은 것이므로, 한때의 금전적 이해를 따져 팔거나 돈놀이하는 대상이 될 수 없다는 것이다. 둘째, 땅은 그 가치를 알고 소중히 여기며 직접 농사를 지을 사람이 소유해야 한다는 것이다. 도시에 사는 지주들이 땅문서만 쥐고서 농사는 남에게 맡기거나 땅을 가꾸는 데 야박하여 땅이 망가진다고 하며, 설사 자신의 아들이라 하더라도 그러한 지주가 되는 것은 막겠다는 것이다. 느르지논이나 독시장밭 같은 기름진 땅을 가격을 보고 팔기보다 문보나 덕길이 같은 농사짓는 사람에게 팔겠다는 것은 땅을 재산 증식의 수단으로 여기지 않고 땅의 가치를 아는 사람에게 팔겠다는 신념의 표현이라 할 수 있다. (477자)

2. 제시문(다)의 주장을 요약하고, 이 주장을 제시문(가)와 (나)를 각각 활용하여 반박하시오.(800~900자, 제시된 작성 분량 미 준수 시 감점 처리됨)

제시문(다)는 가치 있는 삶과 행복한 삶은 다르며, 무엇을 선택하느냐에 따라 삶의 방향이 달라진다고 주장한다. 또한, 가치 있는 삶은 타인의 평가에 무게를 두는 삶의 방식이어서 자칫 자신의 행복을 간과할 수 있다고 한다. 그 예로 사람들이 작고 예쁜 초콜릿보다 바퀴벌레 모양이라 하더라도 크기가 큰 것을 선택하는 것, 성적에 맞추어 대학이나 전공을 결정하는 것 등을 들었다. 이러한 결정이 합리적 선택이기는 하지만, 행복보다 타인의 평가를 의식한 결정이라는 것이다.

하지만 모양이 예쁜 것보다 크기가 큰 초콜릿을 선택하는 것이 반드시 합리적이라고 단정하기 어렵다. (나)에서 말한 바와 같이 사람들의 인식과 가치는 환경에 의해 형성되고 합리성 역시 문화의 영향을 받는 것이므로, 합리의 기준도 사람마다 다를 수 있기 때문이다. 즉 크기는 작더라도 예쁜 것을 먹는 즐거움을 느끼는 것이 합리적이라고 생각하는 사람도 있을 수 있다. 따라서 (다)의 주장은 개인의 차이를 고려하지 않고 과도하게 일반화한 의견이라고 할 수 있다.

또한, 가치 있는 삶과 행복한 삶이 반드시 구분되는 것은 아니다. (가)의 아들은 환자를 치료하는 의사라는 점에서 가치 있는 삶이고, 병원 운영이 잘 되어 확장하려고 한다는 점에서는 의사로서의 그의 삶이 불행하다고 보기 어렵다. 아버지 역시 평생 조상의 땅을 지키며 농부로 살아온 것을 가치 있다고 느끼며, 또 그러한 삶을 흡족히 여긴다는 점에서 행복한 삶이라 하겠다. 가치 있는 삶이 행복한 삶일 수 있는 것이다. 게다가 가치 있는 삶의 기준이 타인의 평가일 필요도 없다. (가)의 아버지 역시 신념에 따라 스스로 그러한 삶을 선택한 것이다. 따라서 가치 있는 삶은 타인의 평가를 우선시하고 자신의 행복을 간과할 수 있다는 (다)의 주장을 반박할 수 있다. (893자)

3. 2023학년도 세종대 수시 논술

1. 제시문 (가)에서 밑줄 친 '여기서 레 미제라블의 의미가 바뀌어 버린다.'가 뜻하는 바를 설명하시오. (250점. 400~500자. 제시된 작성 분량 미 준수 시 감점 처리됨.)

레 미제라블의 원래 의미는 불쌍한 사람이다. 위고에 따르면 장 발장처럼 억울한 사람, 하층민이나 매춘부 등 가난한 사람뿐 아니라 중산층이라 해도 타인의 삶에 관심을 갖지 않는 사람들을 모두 포함한다. 중산층 아버지는 자신의 삶이 올바르다고 확신하고 가족의 평화로운 삶에 만족할 뿐 주변에 굶주린 어린 형제가 있어도 돌보지 않는다. 그의 아들도 이 형제에게는 관심 없이 남은 빵을 호수의 백조에게 던져 준다.

그러나 위고가 "나는 레 미제라블이에요!"라는 장발장의 말을 통해 새롭게 부여한 레 미제라블의 의미는 불쌍한 처지에도 타인의 삶에 관심을 갖고 양심과 정의를 지키는 사람이다. 비참함 속에서 자신의 행복조차 포기하며 양심을 지키는 장 발장, 동생에게 더 큰 빵조각을 나눠주는 형, 인류를 위해 목숨 걸고 정의를 지키려는 바리케이드 안의 사람들이 그 예다. 이들은 불쌍한 처지에도 인류애를 지키고자 했다는 점에서 원래의 레 미제라블과는 그 의미가 다르다. (487자)

2. 제시문 (다)를 활용하여 제시문 (가) '바리케이드 안의 사람들'과 '장 발장', 제시문 (나) '임종술'의 행위를 각각 설명하고 이를 토대로 '임종술'의 행위를 비판하시오.
(450점, 800~900자, 제시된 작성 분량 미 준수 시 감점 처리됨.)

제시문 (가)의 바리케이드 안의 사람들은 인류에 대한 믿음을 지니고 시가전에 참가한 이들이다. 그들은 시가전에서 승리할 수 있을지도 불확실하고 자신들의 미래도 어떻게 될지 몰라 두렵지만, 용기를 내어 모험을 감행하였다. 이러한 행위는 (다)에서 말하는 존재 양식의 삶에 해당한다. 존재 양식의 삶이란 새로운 이상을 갖고 개척하거나 두려워도 용기 있게 전진하는 것을 말한다. 이러한 삶에서는 목숨이나 재산 등 자신이 소유하고 있는 것을 잃어버릴까 불안해하지 않는다. 바리케이드 안의 사람들이 목숨을 아끼지 않고 믿음을 지켰던 것, 장발장이 행복을 잃을까 걱정하지 않고 양심을 지켰던 것 모두 존재 양식의 삶에 해당한다.

반면 (나)의 임종술은 소유 양식의 삶을 지향하는 인물이다. 소유 양식의 삶이란 돈이나 명예, 사회적 지위 등 존재 외부적인 것에 의존함으로써 안정감을 느끼는 것을 말한다. 그가 법을 어기면서까지 돈을 벌어 소유하려고 했던 것, 저수지 감사를 맡으라는 권유에 사장님이라는 과거의 사회적 지위를 들먹인 것이 그 예다. 또 저수지 감시에는 관심이 없었으나 권위와 명예의 상징으로 선망하던 완장을 찰 수 있다는 말에 마음이 끌리는 것도 소유 지향적 삶의 한 단면이다.

　그러나 임종술의 경우처럼 지나친 소유 지향적 삶은 비판받아야 한다. 그는 돈을 벌겠다는 이유로 법을 어겼고 단속을 피했다. 또 권한 없는 저수지 감시원임에도 완장의 권위를 내세워 낚시하던 사람들에게 폭력을 행사했고, 심지어 읍내에서까지 완장을 두르고 활보하며 그 힘을 과시했다. 이러한 행위는 완장이라는 외적 소유물에 과도하게 의존하여 권한과 권위를 탐하거나 타인의 소유를 통제하는 행위라 할 수 있다. 현대 사회에서는 소유를 완전히 외면하고 살기는 어렵지만 지나친 소유 의존은 경계할 필요가 있다. (892자)

4. 2023학년도 세종대 모의 논술

1. 제시문 (가)의 필자의 관점에서 제시문 (나)의 주장을 반박하시오. (400~500자, 제시된 작성 분량 미 준수 시 감점 처리됨)

　제시문 (나)의 필자는 인간이 개인적으로 도덕적이라 해도 집단에 소속되어 그 집단의 이익을 추구할 경우 이기적이고 부도덕할 수 있다고 주장한다. 밥값 내기 축구 시합에서 반드시 이기기 위해 교묘한 반칙을 쓰는 행위를 그 예로 들었다. 선수 개인은 도덕적이라도 밥값이라는 집단의 이익을 위해 비도덕적 행위를 할 수 있다는 의미이다. 그러나 모든 축구 시합에서 선수들이 꼭 반칙을 사용하는 것은 아니다. 규칙을 지키며 공정하게 경기를 하고 승리하는 경우도 많다. 즉 집단이 어떠한 이익을 추구한다고 해서 그들이 반드시 비도덕적으로 행동하는 것은 아니다. 더 나아가 (가)의 국제 사면 위원회의 직원들이 억울하게 고문을 당하거나 투옥된 사람들을 구하는 것처럼, 자신들의 이익이 아닌 타인이나 공동체의 이익을 위한 행위를 할 경우에는 집단이라 하여도 도덕적으로 활동할 것이다. 따라서 개인의 도덕성보다 집단의 도덕성이 현저히 떨어진다는 (나)의 주장은 일반화하기 힘들다. (487자)

2. 제시문(다)의 황만근, 민 씨, 이장, 동네 사람들의 행동을 제시문 (가)와 (나)를 논거로 활용하여 각각 분석하고 이장과 동네 사람들의 행동을 비판하시오. (800~900자, 제시된 작성 분량 미 준수 시 감점 처리됨)

　제시문 (가)에 의하면 인간은 다른 사람의 처지에 대해 공감하는 힘이 있는데, 이 능력을 약자를 돕거나 단체 행동을 하는 데에 쓰는 사람이 있고 다른 사람을 통제하거나 조정하는 데 쓰는 사람이 있다. (다)의 황만근이 전자라면, 이장은 후자에 해당한다. 황만근은 동네의 궂은일에 앞장섰고, 자신은 빚이 없음에도 농민 총궐기 대회와 같은 단체 행동에 참석하여 농가 부채 탕감을 촉구하고자 했다. 반면 이장은 황만근이 고장 난 경운기를 끌고 궐기 대회에 참석하도록 조정했으면서도 자신은 안전을 위해 경운기가 아닌 트럭을 타고 참석하는 이중적 행동을 한다. 황만근의 행동이 타인의 어려움에 공감하고 희생하는 이타적 행위라면 이장의 행동은 타인을 이용하고 기만한 이기적 행위라고 하겠다.

　민 씨는 돌아오지 않는 황만근을 걱정하며 이장의 이중적 행동을 비판한다. 이러한 민 씨의 행동은 (가)에서 말한, 약자인 이웃을 대신하여 주장하거나 동질감을 느끼며 돕고자 한 행위라 할 수 있다. 그러나 민 씨 역시 황만근에게 일을 떠맡기는 동네 사람이나 헌 경운기를 끌고 궐기 대회에 가려는 황만근을 적극적으로 말리지 않았다는 점에서, 집단의 비도덕적 행위를 묵인해왔다고 하겠다.

동네 사람들은 황만근에게 온갖 일을 시키고도 그 대가를 제대로 지급하지 않았고, 실종된 황만근을 찾아보려고도 하지 않았다. 이는 (나)에서 말한 대로, 사회 집단이 자신들의 이익을 위해 행한 이기적이고 부도덕한 행동이다. 이처럼 이장과 동네 사람들은 설사 개인적으로는 도덕적이라 하더라도 집단의 구성원으로서는 자신들의 편리와 이익을 위해 황만근의 희생을 악용하거나 묵인하는 이기적이고 비도덕적 행위를 했으며, 심지어 황만근을 누구도 적극적으로 찾으려 하지 않았다는 점에서 비판받아야 한다. (880자)

5. 2022학년도 세종대 수시 논술 (A형)

1. 제시문 (가)는 빈센트 반 고흐가 동생 테오에게 자신의 그림 <감자 먹는 사람들>에 대해 설명한 편지글이다. 제시문 (가)에 나타난 빈센트 반 고흐의 예술관을 요약하시오. (400~500자, 제시된 작성 분량 미 준수 시 감점 처리됨.)

빈센트 반 고흐는 <감자 먹는 사람들>을 통해 자신의 예술관을 설명하였다. 그는 예술의 내용면에서 농부들의 일상을 소재로, 땅을 파서 농사를 짓는 사람들의 거친 손을 그림에 담고자 하였다. 이는 교양 있는 사람들의 우아한 삶이 아닌, 힘든 육체노동을 통해 정직하게 양식을 얻는 삶도 가치 있고 아름다울 수 있음을 그림에 담으려 한 것이다. 표현기법에 대해서는 농촌 생활을 있는 그대로 묘사해야 한다고 주장했다. 농촌 생활을 곱게 다듬어 그리거나 향수 냄새가 풍기도록 그리기보다, 감자 삶는 김이나 외양간의 거름 냄새가 느껴지도록 그리는 등 사실적으로 표현해야 한다는 것이다. 빈센트 반 고흐는 삶에 대한 진정성이 담긴 자신의 그림을 통해 사람들이 감동을 받고 삶에 대해 성찰할 수 있기를 바랐다. 그뿐만 아니라 이러한 그림이 더럽고 악취가 난다고 혹평을 받거나 그로 인해 자신이 물질적인 어려움을 겪게 되더라도 예술에 대한 소신을 지키고자 하였다. (477자)

2. 제시문 (다)의 "인공지능은 결국 의식을 갖게 되어 인간의 자리를 대체할 것"이라는 스티븐 호킹(Stephen Hawking)의 주장을 제시문 (가)와 (나)를 모두 활용하여 반박하시오. (800~900 자, 제시된 작성 분량 미 준수 시 감점 처리됨.)

스티븐 호킹은 뛰어난 지적 능력을 갖추고 합리적 판단을 내릴 수 있는 인공지능이 의식마저 갖게 되면 결국 인류를 뛰어넘게 될 것이라고 주장한다. 하지만 인간은 인지적 능력 외에도 감정과 의지, 유연성과 창의성, 호기심과 질문하는 능력 등 인공지능에게 부여하기 어려운 특징을 갖고 있으므로, 인공지능의 발달로 인해 생기는 문제까지도 충분히 해결할 수 있다.

감정은 인간만이 지닌 비이성적 특징이다. 인간은 이 감정을 토대로 수많은 창조적 성과를 이루어 왔다. 제시문 (가)에서 빈센트 반 고흐는 육체노동을 하는 사람들의 거친 손에서 숭고한 아름다움을 느끼고 이러한 감정을 예술작품으로 창조해냈다. 이 창조의 과정에서 그는 물질적 결핍, 안락한 생활을 할 수 없는 고통, 창작의 어려움 등 다양한 현실적 곤란에 부딪혔지만, 예술작품을 창작하겠다는 의지를 갖고 유연성과 창의성을 발휘했다. 이처럼 인간이 지닌 다양한 감정과 의지는 인류 문명사를 이끌어 온 창조의 출발점이었으며, 이는 인공지능의 시대라고 해도 변하지 않을 인간만의 차별성이라고 하겠다.

또한 인간은 새로운 것, 미지의 것, 당연하다고 여겨온 것에 대한 호기심을 지니고 이를 해소하기 위해 끊임없이 질문을 할 수 있는 존재이다. 제시문 (나)에서도 아이는 호기심을 갖고 질문을 거듭했고, 아빠는 아이와 함께 창의적으로 해결 방법을 찾는다. 마찬가지로, 만약 인공지능이 의식을 갖게 되어 인간의 자리를 위협하는 상황이 생기더라도, 인간은 이 새로운 상황에 대한 호기심과 질문을 통해 답을 찾고, 창의성을 발휘해 대안을 마련할 것이다. 즉, 과학 기술의 진보가 생물학적 진화보다 빠르다 하여도 인간은 고유의 특징을 바탕으로 인공 지능을 이롭게 활용할 수 있는 방법까지도 모색해 낼 것이다. (869자)

6. 2022학년도 세종대 수시 논술 (B형)

1. 제시문 (가)의 밑줄 친 "과학은 이렇게 '전쟁과 평화'를 반복하면서 발전합니다."에 대해 설명하시오.(400~500자, 제시된 작성 분량 미 준수 시 감점 처리됨.)

제시문 (가)에서 과학이 전쟁과 평화를 반복하면서 발전한다는 것은 과학이 패러다임 전환을 통해 발전한다는 의미이다. 여기서 패러다임이란 과학자들이 세상을 바라보고 해석하는 틀이다. 과학자 사회가 어떤 하나의 지배적인 패러다임으로 문제를 판단하고 해결하는 것을 정상 과학이라고 한다. 그러나 이 패러다임으로 설명할 수 없는 현상들이 나타나면서 패러다임은 차츰 위기를 맞게 되고, 새로운 패러다임이 등장하는 과학 혁명이 일어난다.
정상 과학이 평화의 시기라면 과학 혁명은 전쟁의 시기이다. 기존의 패러다임에 익숙한 과학자들이 새로운 패러다임에 저항하면서 복수의 패러다임이 공존하거나 경쟁한다. 그리고 이 전쟁에서 마침내 새로운 패러다임이 승자가 되면, 다시 정상 과학 시기를 맞이한다. 이처럼 과학은 '전쟁'과 '평화'로 비유된 과학 혁명과 정상 과학의 반복을 통해 발전한다. (437자)

2. 제시문 (가)의 '패러다임 전환'이라는 관점에서 제시문 (라)의 주장을 요약하고 이 주장을 제시문 (나)와 (다)를 모두 활용하여 옹호하시오.(800~900자, 제시된 작성 분량 미 준수 시 감점 처리됨.)

패러다임 전환이란 기존 패러다임이 한계에 직면하여 새로운 패러다임으로 대체되는 현상을 말한다. (라)의 상황에서는 사농공상이라는 사회통념으로 인해 물자가 제대로 유통되지 않아 경제가 위축되었고, 소비가 활성화되지 않아 생산과 기술이 발달하지 못하였으며 곤궁함에서 벗어나기 힘들었다. 이에 대해 (라)의 필자는 상업을 경시하던 기존 패러다임에서 벗어나 상업을 중시하는 방향으로의 전환을 주장했다.

(다)에 등장하는 서유럽의 시장은 교역의 중심지였고, 그 주변으로 상인과 수공업자가 모여들면서 도시가 형성되었다. 무역 거점 도시였던 베네치아나 직물업이 발달했던 밀라노가 그 예다. 즉, 시장을 중심으로 물자의 유통이 확대되면서 경제가 발전하게 된 것이다. 반면 (라)에서는 상업을 박대한 결과, 전국 각지에서 생산된 물산이 제대로 유통되지 않아 경제를 윤택하게 하지 못했다. 따라서 상업을 중시하여 물건을 적극적으로 유통하고 거래하도록 해야 한다는 (라)의 주장은 옹호할 수 있다.

또한, 검소함을 숭상하여 소비가 위축된 것도 상업 발달을 막은 요인이다. (나)에 의하면 사람들은 생활의 편리함과 행복을 위해 재화와 서비스를 소비하며 욕망을 충족한다. 이 소비가 증대되면 생산이 촉진되고 서비스도 발전하면서 생활수준의 향상이 가능하다. 반면 (라)에서는 비단옷을 입지 않아 비단을 짜거나 파는 사람이 줄었고, 기교를 중시하지 않아 수공업이 발달하지 못했으며 기술이 사라졌다. 소비가 적어 생산이 위축되면서 상공업 자체가 실종되었고 결과적으로 모든 백성이 궁핍해진 것이다. 따라서 단편적으로 검소함을 숭상할 것이 아니라 소비를 확대하고 아울러 물자가 활발하게 유통되도록 유도하는 등 상업을 중시함으로써 백성의 삶을 윤택하게 해야 한다는 (라)의 주장은 타당하다. (882자)

7. 2022학년도 세종대 모의 논술

1. 제시문 (가)의 내용을 요약하시오. (400~500자, 제시된 작성 분량 미 준수 시 감점 처리됨)

제시문 (가)는 말을 빌려 타면서 얻게 된 소유의 본질에 대한 깨달음을 설명한 글이다. 야윈 말을 빌렸을 때는 조심조심 몰았지만 준마를 빌렸을 때는 거칠게 몰고 유쾌하게 내달리기도 했다. 자신의 것이 아니라 빌린 것임에도 불구하고, 인간의 마음은 상황에 따라 달라져 때로는 돌려주어야 한다는 사실조차 잊고 자신이 소유한 물건처럼 다룬다는 점을 지적한 것이다.

소유에 대한 잘못된 인식은 말과 같은 구체적인 사물뿐 아니라, 권력이나 부귀영화와 같은 추상적인 대상에도 마찬가지로 작용한다. 예컨대 임금의 신분과 권한, 신하의 부귀와 권세는 모두 백성으로부터 부여된 것이지 그들의 소유가 아니다. 그런데 이를 잊고서 마치 자신들의 소유인 양 남용한다면 결국에는 독부나 고신의 신세를 면치 못할 것이다. 즉 제시문 (가)는 말과 같은 사물이든 신분이나 권력이든 모두 인간이 원래부터 소유한 것이 아니라 빌린 것이란 점을 주장하며 소유의 본질에 대한 사람들의 인식을 경계하고 있다. (492자)

2. 제시문 (다)의 이도가 새로운 글자를 만들고자 하는 의도를 요약하고, 제시문 (가)와 (나)를 모두 논거로 활용하여 제시문 (다)의 정기준을 비판하시오. (800~900자, 제시된 작성 분량 미 준수 시 감점 처리됨)

이도는 백성의 소리에 귀를 기울여 정치에 참고하는 것이 임금의 덕목이라고 여긴다. 그러나 백성들은 한자가 어려운 까닭에 자신들의 뜻을 직접 전달할 수 없었고, 관료들을 거쳐 전달되며 민의는 관료들의 입맛에 맞추어 왜곡되고 편집되었다. 이도는 이를 해결하고 자 모두가 쉽게 배울 수 있는 글자를 만들어 백성의 소리를 직접 듣고자 한 것이다.

반면 정기준은 이도의 이러한 시도가 권력을 백성들에게 넘기려는 무책임한 일이라고 주장한다. 왕과 관료는 권력을 소유한 만큼 잘못을 하면 책임을 질 수 있으나, 백성은 그렇지 못하다는 것이다. 그러나 제시문 (가)에서 말하는 바와 같이, 왕과 신하의 지위나 권력은 원래 백성의 것이고 왕과 사대부는 이를 잠시 빌린 것에 불과하다. 따라서 권력을 백성들에게 넘기는 것은 무책임한 일이라는 그의 주장을 비판할 수 있다.

또한 정기준은 백성들이 글을 알면 깨이게 되고 자신들의 주장을 드러내면서 권력이 움직이게 되는 것을 두려워한다. 그런 세상이 되면 사대부는 권력을 잃고 조선을 이끌던 성리학 또한 자리를 잃게 되어 나라가 망한다는 것이다. 이러한 주장은 출생으로 결정된 양반이라는 신분의 우월함과 그것에 기반 한 사대부 권력을 지속하기 위한 것에 불과하다. 제시문 (나)의 오스만 제국과 같이 한 국가가 발전하기 위해서는 출신이나 신분이 아닌 능력에 따라 기회를 제공하고 대우받을 수 있어야 한다. 그런 점에서 신분이 낮은 백성들도 쉬운 글자를 통해 능력을 갖추게 되는 것을 막고자 했던 정기준을 비판할 수 있다. 또 오스만 제국이 종교나 풍습, 민족 등에 대해 관용적인 정책을 취하며 광대한 영토에 걸친 번영을 이끌었다는 점에서, 조선을 성리학으로만 다스려야 한다는 그의 주장 역시 편협한 견해라 할 수 있다. (871자)

8. 2021학년도 세종대 수시 논술 (A형)

1. 제시문 (가)의 '선한 의도로 개입'의 의미를 기술하고, 이것과 부합되는 내용을 (나)에서 찾아 설명하시오. (250점, 400~500자. 제시된 작성 분량 미 준수 시 감점 처리됨)

제시문 (가)에서의 '선한 의도로 개입'은 본인에게는 좋지만, 타인에게는 해를 끼치는 외부 불경제를 정부 차원에서 억제하는 행위를 의미한다. 외부 불경제는 사회적으로 심각한 갈등과 비용을 유발하며 시장에서 자율적으로 해결되지 않는 경우가 많기 때문에 부정적인 영향을 미치는 외부 효과를 줄이기 위해 정부가 개입하는 것이다.

(나)는 대체로 개인들의 사상과 의견의 자유를 억압하지 말아야 한다고 기술하고 있으나, 그러한 자유가 무제한적으로 허용되는 것은 아님을 지적하고 있다. 즉 타인에게 해를 끼치는 경우라면 강압적인 통제가 필요할 수 있다. 정당한 이유 없이 다른 사람에게 해를 끼치는 행위는 (가)의 외부 불경제를 의미하며, 부정적 외부 효과를 일으킬 만큼 사안이 심각하다면 사회 전체가 개입하여 통제할 수 있음을 설명한다.

2. 제시문 (가)와 (나)를 논거로 활용하여, 제시문 (다)에 등장한 음악 선생님의 행동을 비판하시오. (450점, 800~900자, 제시된 작성 분량 미 준수 시 감점 처리됨)

제시문 (다)의 음악 선생님은 합창단 공연에서 '엇박자 D'가 불협화음을 만든다고 생각하고 처음에는 자진 사퇴를 권하다가 결국 그에게 입만 벙긋벙긋하라고 지시했다. 그러나 엇박자 D는 끝내 노래를 불렀고 그 탓에 공연은 엉망이 되고 말았다. 음악 선생님은 엇박자 D에게 공개적인 망신을 주었다.

(가)는 타인에게 해를 끼치는 외부 불경제를 법으로 규제하거나 세금을 물려 억제하는 정부의 선한 의도에서의 개입이 필요하다고 설명한다. 그러나 정부가 시장에 개입한 결과가 항상 좋은 것은 아니며, 어디까지 개입할 수 있는지도 불분명하다. 이를 (다)에 적용한 다면 음악 선생님이 엇박자 D에게 합창에서의 사퇴를 요구하거나 소리 내지 않기를 종용하는 등의 개입은 성공적인 공연을 위한 선한 의도로 볼 수도 있다. 그러나 음악 선생님의 개입은 학생들의 합창을 완성할 수 있는 기회를 박탈하는 부정적인 결과를 가져왔다. 또한 음악 선생님의 과도한 간섭과 질책으로 즐거운 축제를 망친 것은 아닌지 비판의 여지가 있다.

(나)는 개인의 자유로운 견해를 통제하는 것의 위험을 경고하고 있다. 만약 그것이 옳은 견해였다면 진리를 억압하는 것이고, 설사 그것이 틀린 견해라고 할지라도 그 틀린 견해를 바탕으로 자연스럽게 진리가 드러날 수 있기 때문이다. 이런 면에서 엇박자 D의 기회를 억압한 음악 선생님의 행동은 비판받을 수 있다. 왜냐하면 엇박자 D의 목소리가 반드시 틀렸다고 단정할 수 없으며, 틀렸다할지라도 엇박자 D의 참여를 제한하지 말았어야 한다. 훗날 밝혀졌듯이 엇박자 D는 다른 아이들과의 목소리와 함께 더 좋은 화음을 만들어 낼 수도 있기 때문이다.

9. 2021학년도 세종대 수시 논술 (B형)

1. 제시문 (가)에서 타모스왕의 '문자'에 대한 견해와 제시문 (나)에서 백주사의 '영어'에 대한 인식을 비교하시오. (250점, 400~500자, 제시된 작성 분량 미 준수 시 감점 처리됨)

제시문 (가)에서 타모스왕은 이집트인들이 문자를 쓰게 될 경우, 기억을 소홀히 하여 내적 능력보다는 지혜의 외양만 갖게 될 것이라고 말한다. (나)에서 백주사는 하찮게 여기던 미스터 방이 토막 영어를 익힘으로써 부와 권세를 누리는 것을 신통하게 여기며, 영어가 재주를 일으키는 도구라고 생각한다.

타모스왕과 백주사는 문자와 영어가 실제적으로 사람의 외적 능력과 겉모양만을 향상시키는 도구로서 인식한다는 공통점이 있다. 그러나 타모스왕은 문자가 이집트인들의 기억능력을 떨어뜨릴 것이라는 부정적인 견해를 갖고 있는 반면 백주사는 미스터 방의 영어 재주를 신기해하고 부러워한다는 측면에서 긍정적인 입장을 갖고 있다고 볼 수 있다. 특히 백주사는 자신의 재산을 다시 되찾을 수 있는 수단으로 생각할 정도로 미스터 방의 영어 능력이 가치가 있다고 생각한다.

2. 제시문 (나)와 제시문 (다)를 근거로 제시문 (가)의 타모스왕을 비판하시오. (450점. 800~900자. 제시된 작성 분량 미 준수 시 감점 처리됨)

제시문 (가)에서 타모스왕은 새로운 도구인 문자가 기억을 소홀히 하게 하여 망각을 부추길 뿐이라고 주장하고 있다. 또한 문자로 인해 이집트인들이 지혜의 실재가 아닌 외양만을 가지게 될 뿐이며 참으로 지혜로운 사람이 아니라 오직 스스로 지혜가 있다고 생각하는 사람이 되어 결과적으로 그들이 가장 곤란한 상대가 될 것이라고 주장하고 있다. 이러한 타모스왕의 견해는 다음과 같이 비판받을 수 있다.

(나)에서 미스터 방의 영어 능력은 타모스왕이 언급한 외양적 지혜라고 볼 수 있다. 그러나 외양적 지혜라고 할지라도 이로 인해 미스터 방은 부와 권세를 누릴 수 있게 되었다. 영어는 그동안 미스터 방을 하찮게 여기던 백 주사가 자신의 재산을 되찾기 위해 부탁을 할 정도의 실질적인 영향력을 가진 도구이다. 타모스왕은 내적인 지혜만을 강조한 나머지 외양적 지혜가 지닌 현실적 가치를 제대로 판단하지 못했다고 볼 수 있다.

(다)에서는 새로운 기술의 도입이 노동자의 일자리를 위협할 것이라는 주장이 있었으나, 결과적으로 기술이 도입된 후에도 노동자의 실질 임금과 일자리 수는 계속 증가했다는 것을 지적한다. 기술 발전이 인간 고용을 감소시킬 것이라는 주장은 일의 양이 고정되어 있다는 '노동 총량의 오류'에 따른 것이다. 이는 일의 양이 무한하게 증가된다는 근거에 반하는 주장이다. 같은 맥락에서 타모스왕은 사람이 기억하는 양이 고정되어 있다는 오류를 범하고 있으며, 문자의 도입으로 인해 기억의 양이 증가될 수 있다는 점을 고려하지 않았다고 평가할 수 있다. 즉 타모스왕의 새로운 문자(발명품)의 도입이 이집트인들의 망각을 부추긴다는 주장은 그들의 기억이 향상될 수 있다는 점을 고려하지 않았으므로 비판의 여지가 있다.

10. 2021학년도 세종대 수시 논술 (C형)

1. 제시문 (나)에서 "분명하게 본다는 것이 도리어 탈이 되는 것입니다"라는 주장의 의미를 제시문 (다)를 근거로 설명하시오. (250점, 400~500자, 제시된 작성 분량 미 준수 시 감점 처리됨)

제시문 (나)는 요술에 속는 것이 눈이라는 감각 기관에 의존하기 때문이라고 말한다. 요술에 현혹되는 것은 결국 구경하는 사람이 스스로 속는 것이다. 그러므로 분명하게 본다는 것이 도리어 탈이 될 수 있다. 눈을 통해 분명하게 본다하더라도 무조건 믿어서는 안 된다.

이러한 현상은 (다)에서 소개하는 '무주의 맹시' 현상으로 설명할 수 있다. 인간이 습득하는 정보의 80퍼센트를 차지하는 시각 정보가 실은 신뢰하기 어렵다는 것이다. 흰 옷과 검은 옷, 패스의 횟수라는 선입관이 주어지자 고릴라가 등장해도 인식하지 못하는 사람이 절반이 넘었다. 즉 사람은 보고자 하는 것만 보게 되며, 주의를 기울이지 않으면 눈으로 보았어도 인식하지 못하는 것이다. 결국 (나)에서 말하는 '분명하게 본다는 것'은 '분명하게 본다고 믿는 것'에 불과하며 그것은 오히려 진실을 호도할 수 있다.

2. 제시문 (가)의 키르케고르의 관점에서, 제시문 (나)의 '울고 있는 자'가 처한 상황과 서화담의 조언을 설명하시오. (450점, 800~900자. 제시된 작성 분량 미 준수 시 감점 처리됨)

제시문 (가)의 키르케고르는 인간이 '죽음에 이르는 병'에 빠진 상태라고 본다. 죽음에 이르는 병이란 합리적 이성을 갖추고 모든 것을 올바르게 판단할 수 있을 줄 알았지만, 실은 어떤 것도 선택하지 못하고 절망에 빠져버린 사람의 상태를 의미한다. 키르케고르에 따르면 인간은 합리적 이성이라는 근대적 도구가 없었을 때 오히려 더 인간적인 삶을 살 수 있었다. 합리성과 법칙성은 조화가 아니라 착취와 불평등을 가져오고, 평화가 아니라 전쟁을 불러왔다. 합리성에 대한 확신을 잃어버린 가운데 선택의 상황에 놓인 개인은 항상 불안을 느끼며, 선택을 꺼리고 회피함으로써 결국 절망하고 만다는 것이 그의 주장이다.

키르케고르가 설명한 절망은 (나)의 울고 있는 자가 처한 상황과 유사하다. 그는 앞을 보지 못하다가 갑자기 눈이 보이게 되어 도리어 혼란을 겪으면서 급기야 길에서 울고 있는 것이다. 그는 그동안 발과 손과 귀를 이용하여 눈이 제공하는 정보의 부족함을 채워왔으나, 눈이 보이게 되자 넘치는 정보로 집을 찾을 수 없었다. 이는 (가)에서 키르케고르가 주장한 바와 같이 울고 있는 자는 항상 불안하며 선택을 회피하는 '완전히 절망한 상태'와 같다.

서화담은 울고 있는 자에게 차라리 눈을 감으라고 조언한다. 보이는 것에 의존하지 말고 주체적으로 자신에게 집중하면 집을 찾을 수 있으리라는 것이다. 이는 키르케고르가 인간의 실존을 중시했던 것과 일맥상통한다. 키르케고르는 절망하는 인간은 절망에서 벗어날 수 있는 가능성도 동시에 가지고 있으며 완전히 절망한 상태에서 주체적으로 실존을 발견하게 된다고 말한다. 즉 서화담은 키르케고르와 같이 자신의 존재 방식에 관심을 두고 어떻게 살아갈 것인가를 고뇌하라고 조언한다고 볼 수 있다.

11. 2021학년도 세종대 모의 논술

1. 제시문 (나) 마을과 (다) 사회의 공통점과 차이점을 설명하라. (400~500자, 제시된 분량 미 준수 시 감점 처리됨)

제시문 (나)의 마을과 제시문 (다)의 사회는 둘 다 통제 사회이다. (나)에서는 촌장이, (다)에서는 빅브라더가 구성원들의 삶을 통제하고 있다. 마을과 사회의 구성원들은 모두 자유롭게 생각하고 행동할 권리를 빼앗긴 채 통제 속에 살아가고 있다. 또한, 지배자는 두려움을 일으킬 수 있는 도구를 이용하여 대중을 지배한다.

제시문 (나)의 지배자인 촌장은 실체가 있으며, 거짓 정보를 흘리고 파수꾼을 이용하여 대중을 지배한다. 제시문 (다)의 지배자인 빅브라더는 실체가 없는 허구의 존재이며, 정보의 독점사회에서 고도의 감시 도구를 이용하여 대중을 지배한다. 제시문 (나)에서의 대중은 이리 떼라는 두려움의 대상을 명확히 알고 있으며, 거짓 정보에 지배당한 것을 인식한 후에는 분노하며 저항한다. 반면, 제시문 (다)에서의 대중은 두려움에 대상을 명확히 알고 있지 못하며, 사생활을 빼앗긴 것을 알지만 저항하지 않고 무기력하게 살아간다. (472자)

2. 제시문 (나)를 (다)의 형식으로 재구성하고, 제시문 (가)의 관점에서 (나) 마을에 대한 평가와 해결책을 제시하시오. (800~900자, 제시된 분량 미 준수 시 감점 처리됨)

제시문 (나)에는 거짓 정보를 통해 두려움을 조장하여 대중을 통제하는 '촌장'이 등장한다. 촌장은 대중이 두려워하는 이리 떼에 관한 거짓 정보를 파수꾼을 이용하여 배포함으로써 대중을 지배하는 존재이다. 마을 사람들은 존재하지 않는 이리 떼에 대해 헛된 두려움에 시달리며 살아간다.

제시문 (나)에 등장하는 통제 도구는 파수꾼과 망루와 양철 북이다. 이것들은 실존하지 않는 것을 실존한다고 믿게 만드는 도구이다. 제시문 (나)는 이러한 이야기를 통해 현대인들은 믿고 싶은 정보만을 맹목적으로 믿기 쉬우며, 때로는 그 정보는 누군가에 의해 조작해낸 것일 수도 있다는 점을 시사하고 있다.

그렇다면 이러한 정보 조작 사회에 우리는 어떻게 대응해야 할까? 제시문 (가)의 관점에서 보면 (나) 마을은 토론 부재와 논쟁 불능 사회이다. 촌장은 편지 운반인이 편지 내용을 떠벌리는 것에 유감을 표하며, 마을 사람들은 토론과 논쟁보다는 도끼나 망치를 들고 망루를 부수려 한다. 촌장은 이리 떼가 존재하지 않는다는 것을 알면서도 잘 익은 딸기를 얻기 위해 두려움에 떠는 마을 사람들의 입장을 고려하지 않은 채 숨긴다. 다만, 파수꾼 다는 촌장이 이리 떼가 허구임을 말하지 않고 마을 사람들이 헛된 두려움에 시달리게 하는 것은 옳지 않다는 반대 의견을 제시하였다. 이는 촌장의 주장에서 잘못된 점을 지적하고 상대방이 납득할 만한 이유를 제공하는 논쟁의 규칙을 지킨 것이다. 이러한 논쟁은 다양한 의견 스펙트럼이 생성될 수 있는 계기를 주는 것이다. 제시문 (가)와 같이 토론과 논쟁을 통한 대중의 비판적 사고가 이루어진다면, (나) 마을도 가상의 적에 대한 공포로 구성원들이 통제되는 상황에서 벗어나 소수의 권익이 보장되고 합리적인 정책이 실현될 수 있을 것이다. (874자)

12. 2020학년도 세종대 수시 논술 (A형)

1. 제시문 (가)의 내용을 요약하시오. (400~500자, 제시된 분량 미 준수 시 감점 처리됨)

제시문 (가)는 정확한 보도가 무엇인가를 설명하는 글이다. 정확한 보도란 올바른 보도이고 진실을 보도하는 것이다. 진실이란 있는 그대로의 사실을 의미한다. 진실을 보도하기 위해서는 어떤 사건이나 문제를 부분만 볼 것이 아니라 전체적으로 보아야 한다. 이런 관점에서 정확한 보도는 객관적이라기보다 오히려 주관적이어야 한다는 것이다.

(가)는 이러한 주장을 윤봉길 의사의 의거로 설명한다. 신문이 객관적 사실만 전달한다면 윤봉길은 한 명의 테러리스트일 뿐이다. 하지만 그 역사적 근거와 조건을 파악하고 전체적으로 보면, 윤봉길의 행동은 식민지 시대에 일제의 착취와 탄압으로 고통받던 우리 민족을 위하여 일으킨 장거이다. 이와같이 정확한 보도란 객관적 사실을 주관적 관점을 통해 재해석할 때 가능하다. 이를 위해서는 풍부한 지식과 철학적 소양을 갖추고 역사적으로 새로운 가치의 편에 서고자 하는 노력이 필요하다고 주장한다. (461자)

2. 제시문 (나)와 (다)를 활용하여 제시문 (가)의 "훌륭하고 정확한 보도는 본래 가장 주관적인 것이다."를 비판하시오. (800~900자, 제시된 분량 미 준수 시 감점 처리됨)

"훌륭하고 정확한 보도는 본래 가장 주관적인 것이다."라는 말은 정확한 보도를 위해서는 풍부한 지식이나 철학적 소양을 바탕으로 고도의 주관적 판단을 반영해야 한다는 의미이다. 그러나 이러한 주관적 판단이 정확한 보도의 필수 요건은 아니다.

제시문 (나)에 의하면 주관성이 배제된 객관적 사실만으로도 충분히 훌륭한 보도가 될 수 있다. 엘스버그는 통킹 만 사건이 베트남전 참전의 명분을 얻기 위해 미군과 군수업체가 일으킨 조작이었음을 밝힌 펜타곤 페이퍼를 공개했고, 뉴욕 타임스지는 이를 보도했다. 이 기사는 객관적으로 사건의 진실을 알린 것이고, 궁극적으로 공공의 이익에 부합하는 정확한 보도가 될 수 있었다.

설사 주관적 보도라 하더라도 그것이 모두 훌륭하다고 단정할 수는 없다. 제시문 (다)에서 말한 바와 같이, 인간은 끊임없이 잘못 판단하고, 잘못 행동하면서 살아간다. 자신의 잘못된 점을 수긍하고 바로잡으려는 사람들조차 이를 제대로 교정하기란 쉽지 않다. 기자 역시 예외가 아니다. 뿐만 아니라. 기자가 자신의 주관을 정립하는 과정에서 자신이 속한 당파나 사회 계급의 영향을 받아 편향성을 지닐 수도 있다. 심지어 기자의 주관적 보도가 자신들의 이익을 대변하거나 불리한 면을 은폐하여 공공의 이익에 반하는 경우도 완전히 배제할 수 없다.

사건의 내용에 따라서 객관적 사실만으로도 올바른 보도가 될 수 있고, 주관적 보도라 하더라도 반드시 훌륭한 것은 아니다. 사실을 전체적으로 조망하고 새로운 가치를 전달하는 주관적 보도가 필요한 경우도 있지만 기사의 주관성은 훌륭한 보도를 위한 필수 요소는 아니다. 따라서 훌륭하고 정확한 보도는 본래 가장 주관적인 것이라는 올솝 형제의 주장은 받아들이기 어렵다. (850자)

13. 2020학년도 세종대 수시 논술 (B형)

1. 제시문 (가)의 내용을 요약하시오. (400~500자, 제시된 분량 미 준수 시 감점 처리됨)

제시문 (가)는 일을 성격에 따라 분류하고 그 가치를 논하는 글이다. '일'이란 인간의 생존과 사회 보전을 위해 꼭 필요한 것이다. 모든 일에는 노력이 필요하고 필연적으로 고통이 수반된다. 전통적으로 일은 그 내재적 가치를 인정받아 고귀성과 성스러움을 지닌 것으로 찬양되어 왔다. 그러나 러셀은 일을 찬양하는 행위가 지배층이 특권을 유지하기 위해 고안해 낸 속임수에 불과하다고 주장한다.

이처럼 상반된 입장을 설명하기 위해, (가)의 저자는 '일'을 '작업'과 '고역'으로 구분할 것을 제안한다. 작업으로서의 일은 자의적, 창조적인 활동이며 작품 창작이 목적이다. 고역으로서의 일은 타의에 의해 강요된, 기계적인 활동이며 상품 생산이 목적이다. 또한 전자가 인간적으로 수용될 수 있는 물리적, 정신적 조건하에 이루어진다면 후자는 그렇지 않다. 따라서 (가)의 저자는 고역으로서의 일은 부정해야 하지만, 작업으로서의 일은 가치 있는 것이라고 주장한다. (478자)

2. 제시문 (나)의 유토피아 인들과 (다)의 임 씨가 하는 일을 근거로 하여 제시문 (가)에서 말하는 '작업'과 '고역'의 구분을 비판하시오. (800~900자, 제시된 분량 미 준수 시 감점 처리됨)

제시문 (가)는 작품 창작을 목적으로 진행되는 자의적, 창조적 일을 작업으로, 그렇지 않은 일을 고역으로 양분한다. 또한 전자를 인간적으로 수용할 수 있는 정신적 또는 물리적 조건하에 이루어지는 것으로, 후자는 그렇지 않은 것으로 분류한다. 따라서 고역은 부정되어야 하지만 작업은 찬미되어야 한다고 주장한다. 그러나 제시문 (나)의 유토피아 인들과 제시문 (다)의 임 씨의 경우를 살펴보면 이러한 구분이 지나치게 도식적임을 알 수 있다.

(나)의 유토피아 인들은 모두 공평하게 하루에 일정 시간 동안 육체노동을 한다. (가)의 기준에 따르면 이들의 일은 타의에 의해 강요된 것으로, 생존을 위한 필요악, 즉 고역이라고 할 수 있다. 그런데 유토피아 인들의 일은 시간이 길지 않으므로 인간적으로 수용할 수 있는 조건하에서 이루어진다는 점에서 고역이라 단정하기 어렵다.

(다)의 임 씨는 집주인의 요구로 옥상 공사를 시작했다. 임 씨의 일은 생계를 목적으로 한 기계적인 육체노동이다. 또한 날이 어두워질 때까지 계속된 일이었기에 물리적으로 힘든 환경 속에서 이루어졌다고 할 수 있다. (가)의 기준에 따르면 이 일 역시 고역에 해당한다. 하지만 임 씨는 기계적으로 할 수 있는 일을 창의적이고 자의적으로 집중하여 완성도를 높이고자 하였다. 이런 점에서 임 씨의 일은 (가)에서 말하는 고역의 기준에 부합하지 않는다.

기계적인 육체노동이라 하더라도 일의 조건이나 그것을 받아들이는 사람의 태도에 따라 그 가치가 달라질 수 있다. 유토피아 인들과 임 씨의 일은 인간이 살아가는 데 필요한 활동이라는 점에서 충분히 가치 있는 일이라 할 수 있다. 따라서 (가)에서 말하는 작업과 고역의 구분은 타당하지 않다. (852자)

14. 2020학년도 세종대 모의 논술

1. 제시문 가)의 "유학을 공부하는 선비"의 입장에서 이사(李斯)의 주장을 반박하시오. (250점, 400~500자, 제시된 분량 미 준수 시 감점 처리됨)

이사는 황제가 천하를 하나로 통일한 후 세상이 태평과 안정을 누리게 되었으므로 법령과 도리를 흔들어 다시금 나라를 분열에 빠뜨리고자 하는 유학자들을 그대로 방치해서는 안 된다고 말한다. 따라서 진나라의 역사서나 의약과 점복, 농학 등 실용적인 용도를 지닌 서적을 제외한 모든 책을 불태워 버려 붕당을 조장하는 유학을 금해야 한다고 주장한다. 그러나 이 같은 주장은 받아들이기 어렵다.

한 나라의 정책과 법령은 완벽한 듯 보여도 시간이 흐름에 따라 문제가 발생하게 마련이다. 그럼에도 불구하고 나라에서 제정한 것이기에 이를 비판하지 말고 무조건 따라야 한다면 이는 나라의 발전에 전혀 도움이 되지 않는다. 옛것을 돌아보며 무엇이 문제인지를 찾고 이를 바로잡으려는 유학자들의 비판 정신이야말로 나라의 발전에 꼭 필요한 것이다. 따라서 이사의 주장처럼 법령과 제도를 비판하는 유학자들을 탄압하여 그들의 입을 막는 것이야말로 국가에 해를 입히는 것이라 하겠다. (482자)

2. 제시문 가)에서 이사(李斯)의 주장과 나)에서 대학생의 주장이 어떤 공통점이 있는지 기술하고, 제시문 다)를 활용하여 이를 비판하시오. (450점, 800~900자, 제시된 분량 미준수 시 감점 처리됨)

> 제시문 (가)의 이사와 (나)의 대학생은 모두 자신의 관점을 절대적으로 옳다고 주장하는 독선에 빠져있다. 이사는 유학을 새로운 시대에 부응하지 못하고 국가의 분열을 조장하는 학문이라고 비판하였고, 대학생은 노파를 바퀴벌레와 같은 해충에 비유하며 사회에 도움이 되지 않는다고 주장한다. 따라서 이사는 진나라의 역사서와 의약과 점복 그리고 농업에 관한 책들을 제외한 모든 서적들을 불태워야 한다고 말하며, 대학생은 노파를 살해하고 그 돈을 빼앗아 선한 사업에 사용해야 한다고 말한다. 요컨대, 이들은 공동체의 유지와 번영에 도움이 되지 않는다고 판단되는 것들을 폭력적으로 제거하려고 한다.
>
> 그러나 이사나 대학생의 주장은 제시문 (다)의 관점에서 볼 때 비판의 여지가 있다. 제시문 (다)에 따르면, 생태계의 작동원리는 다양성의 공존이다. 생물종은 우열이 없으며 쓸모없어 보이는 존재 역시 생태계의 중요한 일원이다. 또한 생물종은 과도하게 욕심을 부려서 다른 종을 없애지 않는다. 설사 같은 자원을 놓고 경쟁하더라도 스스로 공존하는 방식을 찾아 나간다. 따라서 다양한 생물종이 조화롭게 공존하는 생태계의 관점에서 볼 때 이사나 대학생처럼 다양성을 인정하지 않는 독선은 공동체의 발전을 가져온다고 볼 수 없으며, 공동체의 발전에 도움이 되지 않는다고 폭력적인 방법으로 개인을 희생시키는 것 역시 정당화될 수 없다.
>
> 진나라가 천하를 통일시켰기에 진나라의 법령과 도리를 비판하는 유학을 제거해야 한다는 이사의 주장이나 공동체의 이익을 위해 사악한 노파를 죽이는 것이 인간의 양심에 반하는 것이 아니라는 대학생의 주장은 개인의 편견에 기초한 독선에 지나지 않는다. 공동체의 유지와 번영을 위해서는 편협한 시각에서 벗어나 다양한 의견을 수렴하고 공동체와 개인의 공존을 꾀해야 한다. (880자)